裴尚苑著

力爭上游：裴尚苑自傳

文史哲出版社印行

民國八十四年十月作者與總統李登輝先生合影

民國八十一年八月於陽明山革命實踐研究院
與秘書長宋楚瑜先生合影

作者（右一）與校長日本參訪團合照於北海道活火山前

建中校長李大祥（右一）金歐校長彭振綱（左一）
與作者合影（民國七十年十月於日本北海道）

裴尚苑（右二）參加第三屆泛太平洋私校校長
會議會場留影（民國 70 年 10 月於韓國漢城）

作者與韓國女學生合影（民國七十年十月）漢城

民國八十年七月接任校長時留影　左一前任校長汪乾文
中：王申望董事，左二新任校長裴尚苑，右一人事姚雲駿先生。

民國八十五年一月與顏淑玉女士於滬江校長室合影

民國八十年十月作者夫婦於加拿大溫哥華合影

民國八十七年三月闔家於北京福壽寺合影，左一次子裴文德，左二妻顏淑玉女士，左三作者裴尚苑，右一次媳林淑玲，右二長媳黃翠娟，右三長子裴文正。

作者於滬江校長辦公室留影

蜚尙苑與妻顏淑玉女士近影

民國六十六年三月全家於溪頭大學池前合影
前排左長女裴文玲　中次子裴文德　右長子裴文正

民國七十年八月全家於台北合影
後排右長女裴文玲　中長子裴文正　左次子裴文德
前排右裴尙苑　左顏淑玉

先嚴滿堂公與先慈焦氏合影

尙吉哥（右四）全家福（70.08.13收）

水嬌妹（左三）全家福

尚貞弟（中坐者）全家福

民國卅七年的我

民國四十年五月與軍校同學合影
後排（左）劉春芳（中）荊耀山（右）孔慶麟
前排左一蔡英左二賀國勛右二裴尚苑右一唐章瑋

民國四十年元旦
與荊耀山（右）
於台北

民國四十一年春節

民國卅八年八月
屈玉斑（右）
荊耀山（中）
裴尙苑（左）
合影

民國四十一年九月與同學於台南赤坎樓前合影

右起 裴尚苑 荊耀山 趙子良 劉宏武 郭仲模 甯汝濬 周鐧 黃建中 朱兆雄 劉春芳 賀國勛 孔慶麟

民國四十九年五月於台北
裴尚苑

民國四十五年二月于
陸軍官校　裴尚苑

民國五十年

民國四十年
（於軍中時）

民國六十年
（師大畢業時）

民國八十年
（任校長時）

民國七十年

民國五十五年於中正理工學院留影

民國六十一年於師大校園留影

民國四十七年金門八二三砲戰時與美軍顧問 Capt Henry M. Propps 於砲陣地前合影

民國四十九年十月與顏淑玉小姐於台中公園留影

民國四十九年九月與顏淑玉小姐遊指南宮留影

民國五十年三月與顏淑玉小姐結婚照

裴女文玲嬰兒照

影中人

裴尚苑

長子裴文正

次子裴文德

長女裴文玲

與文玲（站）文正（抱）合影

民國八十五年七月校長交接典禮留影，左二新任校長徐立，
中董事長錢龍　，右前任校長裴尚苑。

民國八十五年卸任後同學歡送離校

私校聯招會贈匾

滬江董事會贈金牌

台北市全體中等學校校長贈金牌

中國國民黨台北市黨部贈銀盾

服務廿年行政院頒獎章証書

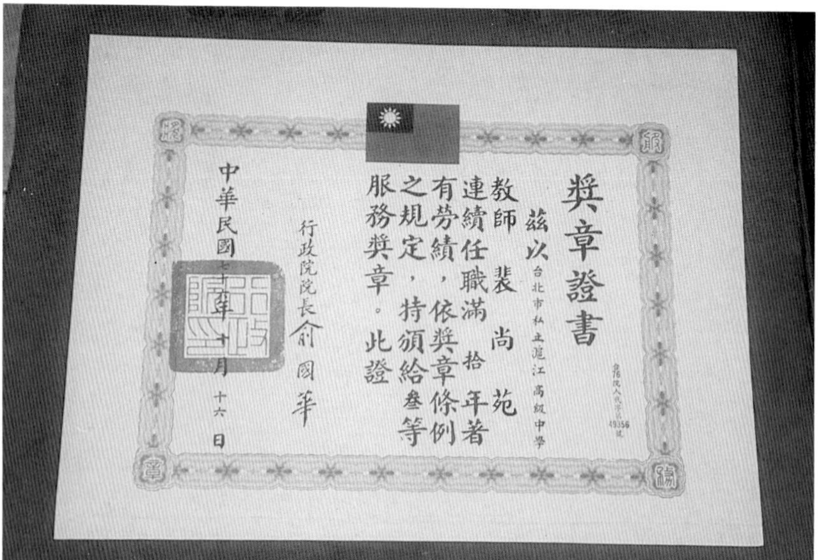

服務滿十年行政院頒獎章証書

滬江高中校友會贈銀盾

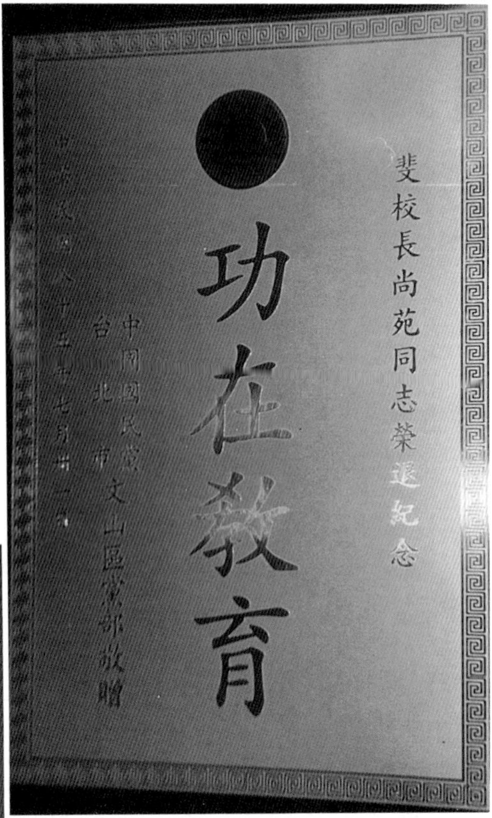
斐校長尚苑同志榮退紀念
功在教育
中國國民黨
台北市文山區黨部敬贈

文山區黨部贈

尚苑同志擔任本會基層義務幹部
熱心服務，犧牲奉獻，績效卓著，
殊堪敬佩，特致獎牌，以資表揚。
服務楷模
中國國民黨台北市委員會
主任委員 林詩輝 敬贈
中華民國八十四年十一月二十三日

台北市黨部贈

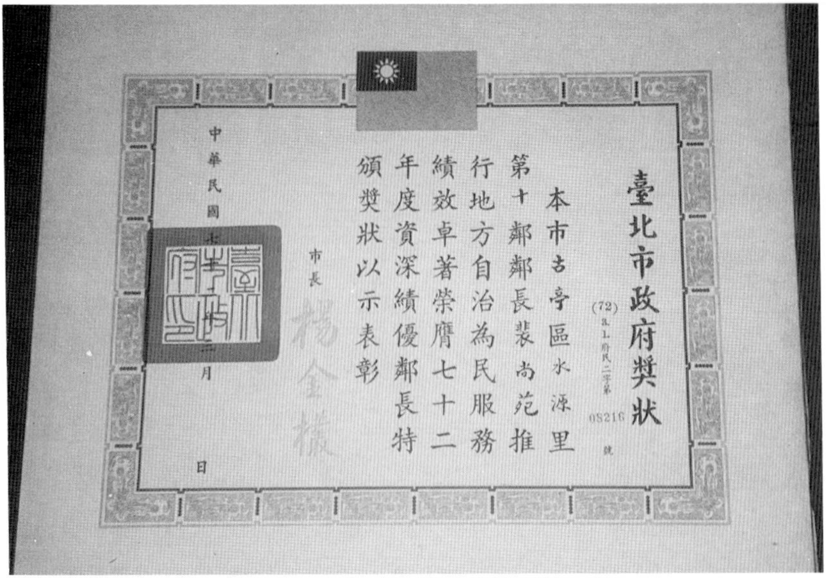

臺北市政府獎狀

(72)8.1.府民二字第 08216 號

本市古亭區水源里第十鄰鄰長裴尚苑推行地方自治為民服務績效卓著榮膺七十二年度資深績優鄰長特頒獎狀以示表彰

市長 楊金欉

中華民國七十　二　月　日

力爭上游——裴尚苑自傳　目次

序——景美溪畔長者風……沈湘珠……一
自序……五
壹、故鄉生活……八
一、家庭概況……八
二、學校生活……九
貳、軍旅生活……一二
一、投筆從戎……一二
二、初上戰場……一三
三、洛陽戰役……一三
四、方山待訓……一五
五、砲校進修……一八

叁、軍官生活

叁、軍官生活……二三
一、赴臺歸建……二三
二、開赴前線……二五
三、登步大捷……二七
四、轉進臺灣……三〇
五、整編訓練……三二
六、鳳山受訓……三三
七、訓練新兵……三五
八、投考官校……三六
九、重入砲校……三九
十、雙十國慶……四一
十一、臺南風情……四三
㈠、買蛋記……四四
㈡、倩　影……四五
㈠、習素描……四五
十二、代理連長……四七

十三、學習英打……四八
十四、調升連長……四九
㈠、走馬上任……五〇
㈡、初次約會……五一
十五、特殊任務……五三
肆、池魚之殃……五六
一、哲學教育……五六
二、臺中戀情……五八
三、外語學校……六二
四、金門砲戰……六四
五、留美考試……六九
六、收之桑榆……七二
七、家庭生活……七五
八、理工學院……七九
伍、重新出發……八三
一、申請退役……八三

二、投考大專……………………………………八四
三、半工半讀……………………………………八五
四、房事困擾……………………………………八八
五、學府上班……………………………………八九
六、常樂學苑……………………………………九〇
陸、傳道授業……………………………………九三
一、進入滬江……………………………………九三
二、輔導工作……………………………………九六
三、教學組長……………………………………九六
四、研習主義……………………………………九八
五、教務主任……………………………………一〇一
六、萬金家書……………………………………一〇三
七、校長退休……………………………………一〇四
八、返鄉探親……………………………………一〇五
九、返鄉立碑……………………………………一〇六
柒、脫穎而出……………………………………一〇九

一、晉任校長……一〇九
二、調整人事……一一二
三、長江三峽……一一三
四、錢董事長……一一五
五、再上黃山……一一六
六、絲路之旅……一一八
七、申請退休……一二二
捌、退休生活……一二五
一、自由自在……一二五
二、蒙古草原……一二六
三、雙飛雙宿……一三三
四、全家環島……一三四
五、中國東北……一三五
六、返鄉尋根……一三八
七、三上黃山……一四四
玖、環遊世界……一五〇

一、初次出國……一五〇
二、東南亞遊……一五二
三、美加赴會……一五四
四、越南參訪……一五八
五、紐澳觀光……一六〇
六、重遊紐澳……一六三
七、歐洲旅遊……一六六
八、東歐之旅……一七一

附錄(一)：講辭選集……一八二

一、就職講辭……一八二
二、週會講話——校長的話……一八三
三、週會講話——同學們應有的認識與努力……一八六
四、校長於家長會議請求家長密切配合……一九〇
五、三十週年校慶賀辭……一九四
六、校慶賀辭……一九七
七、大家長的叮嚀……一九九

八、期勉畢業學生……二〇一
九、讀經・養性——倡讀《三字經》……二〇三
十、紐澳行……二〇五
十一、海峽兩岸高中校長研討會……二〇九
十二、說孝經……二一一
十三、退休講辭……二一三
十四、告別學生講辭……二一五
十五、談國家統一問題……二一七
十六、令人敬佩的王校長……二二四
十七、研習易經心得……二二六
十八、越南行……二二九
十九、美加見聞……二三二
二〇、回顧滬江……二三六
附錄(二)
1.我所認識的裴校長尚苑先生……員貞心……二四一
2.師道的光輝……劉志良……二四四

3. 校長裴尚苑秉持宗教情懷・創造多元包容的學習空間……徐明貞……二四七
附錄(三)：習作選集……二五一
附錄(四)：裴尚苑自訂年表……二八四
附錄(五)：常樂裴氏家譜序及世系簡表……二九〇

序——景美溪畔長者風

滬江高中訓導主任　沈湘珠

聽說裴校長要出自傳，眞替他高興，因爲他一生努力的成果和積極進取的精神將可藉此傳承給子孫，對其先人亦能有所交待而無愧於心。只是要我寫序，眞是有些受寵若驚。爲人寫序，責任重大，雖已滿口答應，但伏案提筆還是有些心慌，可是感念裴校長邀約的誠懇，我開始打開心內的門窗，認眞回顧起及老長官共事十多年的生活點滴。

民國68年我從南部轉進滬江執教時，裴校長是在夜間部當教務組長，因日夜間部的作息時間有若天上參商二星般缺少交集，所以我對他沒有清楚的印象。直到民國69年8月他調任日間部教務主任一職，我才慢慢睜眼認識這位「裴主任」。他面目黝黑，五官端正，鼻梁挺直，不苟言笑，很少厲聲責人，卻使師生油然心生敬畏。他自律甚嚴，常以身作則示範他人，例如他對老師們嚴格要求必須準時上課，因此常常上課鈴聲一響，他就已站在導師辦公室門口，不出聲催促只是佇足環視，警覺度高的老師一面拿書快步離座，一面轉頭告知有課卻又不斷與學生續談的老師說：「『鐘』主任來了，還不快走！」「鐘」主任的稱呼，是大家稱讚他的準時及盡責的態度，沒有惡意！

十二年的教務主任工作，前七年在王申望校長的督導下，他使得滬江的教務制度步上軌道；後五年則常配合汪乾文校長在校際間的努力，他負責舉辦多次全國珠算比賽、全國簿記和會計檢定考試，圓滿的績效，令外界對滬江有良好的口碑。

民國80年8月董事會禮聘他爲校長，一直到85年8月屆齡退休。在這五年期間，裴校長秉持著前兩位老校長經驗的傳承，懷抱著對滬江一份深厚的情義，他致力校務的經營，以「務實」、「革新」爲目標，一面要求老師們克盡厥職，一面則竭力爲大家爭取比照公立學校薪資調整的待遇。薪資調整對自給自足的私立學校而言是大事也是難事，但經過一再溝通，最後總算依學校當時財務狀況做了合理的定案，雖與公立學校敍薪標準尙有些差距，但董事會已表現了回饋全校教職員工認眞工作的誠意，而滬江師長們的生活條件也藉此得到一些改善。裴校長已盡其所能，對薪資方面做了階段性的努力和奉獻！另外他對學生則提出簡明有力的五大要求：「禮貌、秩序、整潔、服務、勤學」，鼓勵學生做一個堂正的滬江人。在裴校長掌校的五年內，我因由訓育組長升調爲訓導主任的關係，所以有機會與他接近，對他爲人處事態度有較多的了解，以下舉幾個生活實例，以窺見其個性特質於一斑：

・守時負責：除每天一早到校外，他仍然保持當主任的習慣，查堂查得緊，有些上課不守秩序的學生，突然起了警覺心時，常會彼此告誡說：「別鬧了，等會兒被校長查堂發現就完了！」「校長查堂」、「他隨時就在你身邊」已深烙在全校師生的腦海中！

・努力不懈：往往看他在批閱公文之餘，手不釋卷，因爲廣泛閱讀，所以他是圖書館的常客；閒暇時，更是勤練毛筆字，令身爲國文老師者汗顏；偶爾有外國貴賓來訪時，他亦能以英語應對，雖夾有鄉音，但足以待客不須翻譯，我們十分欽佩，他說年青時立誓自學曾下過苦工夫，現在也常聽廣播訓練聽力，所以英文程度一直保持基本水準！

·勤儉自持：有次看到他穿在白襯衣內是一件參加某年校際慢跑活動主辦單位贈送的T恤，想想我的那件已不知落置何處，但他仍然保留著當汗衫。

·堅持有恆：他常爲朝會或週會的講話內容認眞擬定草稿，最有系統和最長久的莫過於有一整學期的每週幾天朝會中，逐句爲學生講解「三字經」，新人類們雖然聽得有些煩躁，但耳濡目染之下，日久竟也常聽到有人朗朗上口，甚至在週記中導師也時而發現學生引用三字經文句來批判時事的情形。

·隱忍厚道：有次我拿公文進校長室請示，目睹他正爲某位同仁不遜態度感到生氣和懊惱，但卻能馬上調整心緒，隨即設身處地體諒對方的心理壓力和生理不適，抬頭對我說：「沒關係，彼此冷靜一下，等會兒我再去和他溝通協商……」

……………

以上就記憶所及略述裴校長在我心中鮮活的印象，本以爲對他有充分的了解，事實上，在我拜讀其自傳原稿時，才在每一章節的內容裏，徹底地看到了養成他人格特質的源頭脈絡，補足了民國69年認識他之前的空白部分。看完自傳，最令我佩服的是裴校長有隨手記錄和收藏生命中重要關鍵事物的好習慣，而且數十年如一日，綿綿密密，毫無間斷，等到時機成熟可以羅致成冊時，所需佐證資料齊備完整，信手拈來則水到渠成，眞是深謀遠慮啊！我誠摯地希望閱讀這本自傳的人能夠：對中國近代四十年來時代變遷的背景略有所知；對一位一生持續力爭上游的人除欽佩外更能激起見賢思齊之心；對自己所遭遇到如意或挫折的經驗皆要好自珍惜深思！

滬江有幸，曾有如此長者駐足貢獻心力，而能與之共事且得提携，裴校長不僅是我生命中的貴人，更是一路見證到滬江不斷成長且日漸茁壯的守護人！

自序

裴尚苑

鴻爪留痕，人生在世，總應該留下些什麼，我於民國卅八年隻身渡海來臺，一路走來十分驚險和艱辛，為使後代子孫便於尋根探源，決心把自己來臺經過詳細記錄下來，以便後人參考。

我是一個極平凡的人，沒有顯赫身世背景足以依賴；亦無彪炳功勳，可資記載，但我有堅強的意志、奮鬥的精神、熾熱的愛國心、強烈的榮譽感、旺盛的企圖心、及過人的求知慾，深信「一分耕耘，一分收穫」，只要肯努力，一定有前途。鑑於當前世風日下，人心不古，所以決心將我艱苦奮鬥的經過公諸於世，以供青年朋友參考，或可給他們一些啓示，進而導正社會風氣，產生教化功能，亦不失為一項貢獻。

回顧我這一生，概略可分為四個階段：故鄉童年受教育階段；投筆從戎，軍中服役階段；傳道授業，從事教育工作階段；屆齡退休，頤養天年階段，其中有血有淚，有情有愛，有驚懼亦有歡笑，多彩多姿，回味無窮。

少年時期，處於戰亂，未能接受完整教育，深以為憾，但以後靠自己努力，克服困難，予以彌補，值得慶幸。

青年時期，國難當前，爲愛國心所驅使，毅然投筆從戎，把最寶貴的青春獻給國家民族，甚感驕傲。

壯年時期，年過不惑，仍能與年青人一爭長短，參加聯招，考取第一志願，開創事業第二春。而畢業任教期間，由於工作認眞負責，爲人誠懇、正直，最後脫穎而出被選任爲校長，施展抱負，實屬榮幸。

退休以後，身體健康，一本「活到老，學到老」的信念，參加長青學苑各項活動，如書法、繪畫、歌唱、舞蹈、太極拳、元極舞等，五花八門，不勝枚舉。每天與另一半，同出同歸，雙飛雙宿，有時去吃吃小館，逛逛公園，過著自由自在神仙似的愉快生活。

一生中參加過無數考試，曾落榜失意過，也得過不少第一名，自問並不聰明，只是毅力過人而已。

在我這人生的過程中，遇到不少恩人，値得懷念與感激的，首推父母養育之恩，昊天罔極，其次是姜善亭表叔，在我艱困時，協助我組成家庭，再就是老長官李策勳及劉廉一將軍，引我進入滬江，王校長申望女士多方提携，都使我銘感難忘。

對我有影響力且發生激勵作用的，當是邊樹藩先生及張梓陵小姐。而對我幫助最大的，當推我的妻子顏淑玉女士，她在我一無所有的情況下，堅決嫁給我，願跟我同甘共苦，共同奮鬥，創建家庭，並爲我撫育三名子女，協助我完成高等教育，度過艱苦階段，如此濃情厚義，眞是沒齒難忘，感激不已。

最後，要感謝滬江高中訓導主任沈湘珠女士，爲我審稿、校對、寫序。沈女士中大中文系畢業，頗具文才，此書經她潤飾後，增色不少。而林進龍老師代爲設計封面，費心費力，在此特向兩位致上無限謝意！

民國八十七年十二月廿日臺北

壹、故鄉生活

一、家庭概況

我來自中國北方，黃土高原、中條山下，山西省平陸縣常樂鎮是我的家鄉，民國十六年（一九二七）五月廿二日卯時，出生在一個貧窮的農家，取名尚苑。常樂鎮位於山西南端，北依中條山、南瀕黃河，爲一台地，地勢險要，居民多以務農爲業。該鎮爲一狹長形，分前後村，居民千餘戶，原爲區公所所在地，爲附近一重要市鎮，鎮中心有一水塘，沿岸爲每月三、六、九日市集場所，並有戲台及店舖。家父裴公滿堂便在該處經營一間小店舖。號「茂盛永」，銷售日用雜貨，書籍文具等，家母焦氏，黃河邊車村人，共育四子一女，我排行老三，長兄尚吉，生性聰敏，爲人靈活，能言善道，擅經商業，自幼即遠赴河南批貨出售，初期經營玻璃玩具，後則改售綢緞布匹，並自創商號「吉興行」。不出幾年便購置店舖兼營餅糕，生意興隆，家庭狀況因之改善。次兄尚實，喜好社會活動，抗戰期間曾參與青年抗日活動，當時地方盜匪猖獗，曾組地方自衛隊追剿，雖受創傷，亦不反顧，勇往直前，被鄉人稱道，勇氣可嘉，後服務公職，盡忠職守。四弟尚貞，小妹水嬌。當我離家時他們年齡尚小。

當我出生時家庭景況並不富裕，住在一座五孔窰洞地陰院中，主要依靠家父及兩位兄長耕農維生，後因父兄經商獲利，陸續購置田產，家境隨之改善，漸趨小康。後曾雇用長工，協力耕種。大陸變色後，據說被中共評為富農，土地被沒收，家人因而遭受不少痛苦。

二、學校生活

我六歲入小學，學校設於離家不遠的裴氏宗祠內，該祠正庭一間，廂房數間。山門前有一廣場，充作操場，設備十分簡陋，僅桌椅黑板而已。有教師二人，學生數十人。當時除教一般小學課本外，老師特別注重論語，每天要求背誦，若背不出，便打手板。中午飯後必寫書法。中日戰爭爆發，日軍入侵，故鄉淪陷，學校停辦，被迫輟學。民國卅年（一九四一）日軍佔領常樂鎮，進駐學校，附近居民紛紛遷移。家父本擬遷往距家數里遠的上焦村，我提醒說：「村中尚有許多人居住，我們何必要搬這麼遠」？遂使家父改變計畫，另在後村覓屋居住。不久上焦村及沿黃河一帶在日軍實施堅壁清野政策施壓下，一律被迫遷離，我們慶幸少一次搬遷之苦。

不久故鄉情況漸趨平靜，由日軍主導設立常樂鎮中心小學於趙家祠堂內，於是我才得以復學，為高小五年級學生，校長為楊子才先生，另有四位老師，其中兩位為女性。學生數百人，除常樂鎮子弟外，附近村莊學子亦來此就讀。

當時日軍駐常樂之最高指揮官為楠原隊長。他很關心學校，經常到學校駐留，甚至午飯亦由勤務兵送至學校食用，以後我想可能是與那兩位女老師有關。爲了推行日化教育，並派日本軍人至學校教日語，同時挑選幾位同學到日本營房內去學日語，趙旺宋同學就是其中之一。我當時亦曾被選爲小老師，負責教導低年級日語。有一天傍晚，我踏進校門時講了幾句字正腔圓的日語，校長以爲是楠原隊長來啦，趕緊出來迎接，卻遍找不著，不禁使在旁的我竊笑。

有一次，級任老師主辦演講比賽，他怕老師在場大家會拘束，於是在門外聽，結果他讚美我講得不錯，「從容不迫；有大將之風」，使我受到很大鼓勵，信心倍增。

高年級學生住校，晚上自習沒有電燈，數位同學圍在一盞菜油燈下讀書，有時談天說笑，有時拿饅頭沾燈油在燈火上烤著吃，其樂無窮。

某日下午，全校集合，由校長及老師帶隊到日軍本部附近一個廣場上，當天下午我留在學校，據回來的同學說，去看日本人殺當地幾名中國人，說他們是煙毒犯，當衆砍頭想收殺雞儆猴之效，同學們看回來後個個嚇得臉色發白，心有餘悸。日本人十分殘暴，可說搶殺擄掠無惡不作，在常樂鎭駐紮雖僅一個小隊，但居民爲求苟安，都不敢輕舉妄動，以免連累無辜。有一次，我到日本營房去，看到碉堡射孔前拴著一個老百姓，約三四十歲，全身赤裸，當時是北方寒冬，冷風刺骨，那人被吹得直發抖，呻吟不已，以哀乞的眼光看著我，我曾向日軍哨兵爲其求情，但不爲所動，日軍殘酷的影象從此在我幼小的心靈中留下極深刻的印象。

有一天，我在街上一家中藥舖裡，看到一個日本兵將藥舖裡的搗藥用的鐵杵給弄斷了，掌櫃的不敢吭氣，但我看了心有不平，仗義執言，要求日軍賠償，結果被他拉到別處揍了一頓，讓我懷恨在心。

小學畢業後，又至本縣西部西張村讀簡易師範，張瑞光老師要我教授學弟們日語。一年後，負笈北上，翻越中條山，穿過鹽池，步行六十華里至運城，投考運城師範，入學後曾被選爲學校樂隊大鼓手，同時加入三民主義救國團，研讀三民主義。當時山西省主席閻錫山亦派人駐校，發展組織，吸收青年，似有與中央抗衡之勢。民國卅五年，就讀運城高中期間，響應總統號召，投筆從戎，加入青年軍二〇六師，結束了學校生活。離校前，校長曾親自挽留，但個人意志堅定，未爲所動。

貳、軍旅生活

一、投筆從戎

民國三十五年十月，我們一群青年學子換上軍裝，由運城步行翻過中條山經平陸縣，渡過黃河，在河南省靈寶縣乘隴海鐵路火車，東行至中國古都洛陽，進駐西宮營房。

十月十日，國慶紀念會上同時舉行入伍典禮，由當時戰區司令胡宗南將軍主持，我當時被編入青年軍二〇六師，第二團迫擊砲連，擔任上等兵瞄準手。正式開始我的軍旅生活，師長爲蕭勁將軍，團長爲盛鍾岳上校，連長金鏞少校，排長爲軍校十六期畢業的孫玉佩中尉。

受訓期間，生活緊張，一切規定十分嚴格，由於初次接受軍旅生活，有些不太適應。白天整日操課，吃飯雖爲麵食，尙合胃口，但常有吃不飽的感覺，晚上睡通舖，數十人一間上下舖，甚爲擁擠，以往在家睡覺時都全身赤裸，不穿內衣，十分舒服，但軍中規定須要穿內衣就寢，且其他衣服亦須按次序放好，以便夜間緊急集合時穿著，由於大家都不習慣，睡覺仍不穿內衣，有一晚，排長來個突擊檢查，猛不防將被子掀開，露出赤裸裸一條條大漢，只聽得大家一陣驚叫，急速遮掩。每天早上起床時間有限，大家急急忙忙，首先整理內務，要求被子折疊得像豆腐乾一樣，然後刷牙洗臉，往往來不及上廁所，集合哨音便急催了。每天過著如此緊張的生活，有些同伴忍受不了，加之思念家鄉，意志不堅，便逃之夭夭。幸運者逃回家去另謀他途，不幸者被抓回來，先在隊伍面前痛打一頓，然後再關禁閉。

二、初上戰場

民國卅六年（一九四七）夏，國內戰事日趨緊張，受訓不到一年的我們便被調赴河南、山東交界處—定陶、長垣一帶參加戰鬥，每天行軍百里遠，日夜兼程，疲憊不堪，肩上扛著重四十公斤的八二迫砲盤，邊走邊打盹，稍一停歇，便有人躺在路邊呼呼大睡，所過之處，居民早已走避，不見人煙，我們軍紀嚴明，要求秋毫無犯，當時瓜田正熟，山東西瓜好大呀！有人想下田摘取，被營長開槍示警。

當時敵人採取游擊戰術，轉了幾天幾夜，並未與敵人遭遇，遂收兵回營，等於作了一次實戰演習。

三、洛陽戰役

民國卅七（一九四八）年三月，中共軍隊逼近洛陽，二〇六師奉命防守，我們迫砲排配屬步兵第三營，負責固守洛陽東城門。

三月九日晚上九時，即聽到槍聲四起，敵人開始攻擊，但我們仍然沉著不動，十日自早至晚，槍砲聲不絕於耳．我軍尙可出城迎戰，至晚天降大雨，敵人砲火開始向城內猛射。四週守軍穩穩不動，且士氣高昂，我三營爲預備隊，尙未加入戰鬥，只在待命，伺機而動。直到十一日中午奉命進入陣地，參加東門戰線，我排即在東城垣附近佔領陣地，完成射擊準備，下午六時東門戰況甚爲激烈，我排即奉命協助步兵封鎖橋頭，開始射擊，以後陸續發射直至深夜。

十二日凌晨二時許，我們正在緊急射擊時，忽然聽人說，敵人已自東門衝入，但我們仍是半信半疑，不以爲然，仍繼續射擊，又支持約兩小時，經連絡員證實敵人確已攻入城內，我們因是砲兵，自衛武器極少，不得已只好變換陣地，此時城中已進入巷戰狀態，情況非常混亂，排長已不知去向，群龍無首，遂與同僚商議，緊急應變，將火砲投入井中，免被敵人利用，然後化整爲零，各自應變。於是我同荊耀山一起，到一家百姓家，換上便服，當時天尙未亮，當我們一出門忽聽「霹！」一聲，子彈從頭頂飛過，遂又躲進屋內，雨仍在不停地下著，我索性躺在炕上睡覺，一會兒，發現有人以手電筒從窗口向內照射，我仍默然不動，心想他萬一進來，我將如何應付，會不會傷害我？心緒起伏不定，忐忑難安，幸好他照了一下便走了。

次日，清晨一看，原來我穿的是一條女用棉褲，然後我們潛行至留守處，找到一枚河南中學證章，遂以學生身份面對共軍，當時留守處的房主太太還在家，對我十分照顧。先拿東西給我吃，然後又帶我同當地居民一齊去躲到一個地窖裡，在那兒看到了排長夫人。地窖不小，因在暗中摸索，也看不清究竟有多少人。躺了一夜，第二天就被共軍發現，被逼出洞，於是我們便被帶去公安局問話，然後同被俘人員關在一起，我利用夜暗衛兵不注意時，安然逃脫了。本以爲這一下要與荊耀山分手了。但當清晨我一人在巷中正想要走向留守處時，抬頭一看，荊耀山迎面而來，眞使我們喜出望外。實在是巧遇，於是兩人一齊擬逃出城外，至城門前看衛兵把守。當時有不少民衆在搶公家倉庫，每人抱著一袋糧向城外跑，於是我們每人各幫一位老太太扛一包糧混出城來。走不多遠，又碰到一個關卡。有幾個士兵在守著，當我們經過時他要檢查，我身上帶著一個銀質印章，被他拿去了，不再爲難，便讓我們通過。於是加緊腳步，直向鄭州方向奔去，中途突然發現一大隊人馬由東而來，細看之下原來是中共援軍，我倆趕快伏在墳地後面，屏息待其通過，然後繼續前進。臨晚，行至距白馬寺十餘里處，有一農家，向其乞食，結果討得一把餵牛的黑豆來充饑，夜宿田野中一個小窖洞裡，裹著由家中帶出來的一條單人墊被過夜。

三月十六日清早，繼續前行，傍晚抵達鞏縣車站，那兒有師部收容站。遂又歸隊上車，次日凌晨二時開車，八時至鄭州車站下車，同隊數十人，齊至中華聖公會收容所，看到有不少同僚已先到了，也有些永遠也不會來了，他們已犧牲在城壕，或碉堡中了。不禁讓人感慨，也使我體驗到人生的意義。同時結束了終生難忘一週的歷險記。

四、方山待訓

洛陽戰役結束後，二〇六師由鄭州集結完畢開往南京附近的句容縣三岔鎮千科村，暫借民宅居住。該村有一對孫姓老夫婦，待我們十分親熱，猶如家人，村中有兩位年青女子，九凝子及狐娣子爲大家平日談論的對象。

民國卅七年（一九四八），五月十七日，我們懷著依依心情離開了居住月餘的三岔鎮，開往南京中華門外三十華里的方山。據說該處原爲一完善的訓練基地，營舍亦很不錯，但抗戰期間被日軍砲火摧毀。現爲一片廢墟，於是我們斬荊披棘，重整地基，搭起帳蓬，以爲幕營。初至此地，每天整地作工非常辛苦。不過帳蓬搭好，住在裡面也很有趣，帳蓬形式有兩種；一爲寶塔式，一爲屋頂式，大小差不多，約五平方公尺，能睡一個班——十二人，下雨時蓬頂「碰碰」作響，隨雨勢緩急不一，時大時小，聽來十分有趣，天熱時將四週布帘捲起，清風徐來，也是一種享受，一排排帳幕排列整齊，頗爲壯觀。

部隊駐此屬於整頓期間，等待裝備，接受訓練，準備重新出發，個人方面，亦多爲自己前途打算，當時我想投效空軍，嚮往藍天白雲，壯志凌霄。

六月十六日傍晚，正和幾位同鄉談天完畢，準備就寢時，忽聽有人喊：「裴尙苑你的老鄉來了！」我轉身一看，見一位年約卅左右，留著西裝頭的青年，身著白襯衫，人字布綠色長褲，肘上還搭著一件衣服，沒有戴帽子，上下打量一下，我並不認識他，但仍親切接待，並問他由何而來；他說：「從南京航空站來」。又問：「你與潘農有什麼關係？」「我和潘農是朋友」，他這樣回答，令我回想起，以前曾聽潘農說過此人，好像他可介紹我們進入空軍。於是便跟他走了。晚上二人走在山間小徑，我根本摸不著東西南北，一味跟著他在月夜裡向前衝。結果走到一戶人家，不知是他家還是別人家，他把我安排在一個房間內，就到裡面去了，因是夜晚也弄不清院子狀況。究竟有幾間房屋，只聽裡面有女聲，好像在哭訴，又好像在爭執，我完全搞不清狀況。不一會，突然間衝進來幾個大漢，手持長槍，並將槍口對著我大喊：「不許動！把槍交出來！」我對此一突來狀況，眞不知所措。以後被帶去鎭公所問話，主事者說：「看你不像壞人」，並經我說明後，得知我與那人無關，遂予釋放。事後我想可能那人與人發生愛情糾紛，帶我去爲其壯膽，我實在太純潔、太單純了，結果受騙。

有一天，我同荊耀山去南京遊覽中山陵，回來聽說有些同學去投考軍訓班，不禁爲失去此次機會而後悔，不過又自我安慰的說這可能是「天意」，不必後悔，往者已矣！來者可追，努力準備，以待下次良機來臨。從此以後痛下決心，充實自己，每月訂出自修計劃表，內容包括：最低限度的工作表現，細目分：讀書、研究和寫作、個人紀律、集體生活、健康與體育、希望達成的目標、修養標語等；堅決而嚴格的實行自我教育和自我批判；每週訂有日課表，力求日進有功，不時自我勉勵，少說無用的話，多做有益的事。

自民國三十七（一九四八）年三月，洛陽戰役後，即開始寫日記，直至今日從未間斷，當時經常在日記上寫些自我勉勵的話，如：營中生活要注重「運動」、「讀書」、實行「早操」：「夜課」。深知高深的智能，道德，強健的體魄即由是而來。

又如：

精進學術以致智；

涵養德性以致仁；

鍛鍊體格以致勇。

結果機會終於來了，七月一日報名投考砲兵學校代訓的軍官訓練班。隔天，荊耀山去南京，要他買些課本回來如英文百日通，分省及世界地圖等，還有口琴吹奏法及一張大正琴，以備自習及娛樂之用，當時深深體會到「最樂事讀書寫字」，堅信成功要靠自己，無論任何事，只要自己能力所及不怕苦，努力去幹，總會有成功的一天。

五、砲校進修

砲校招生定於七月一日至廿五日報名，八月一日初試，我同耀山倆爲了要把握這次機會，於七月一日便報了名，但以後據說「因兵科不符，不予轉報，如有疑問，可向師部參三洽詢」。遂立即前往，經交涉後准予補報，甚喜，遂即造冊送去，總算完成報名手續，才算安心。

八月四日得到初試錄取通知，五日清晨因發旅費的軍需尚未回營，遂向排長暫借旅費二百餘萬元（金元幣），帶者簡單行李，便搭車向南京湯山砲兵學校出發，下午三時抵達，先向傳達室詢問，曰：「四時開始辦公，等等吧」！我們便將行李放下，先去用餐，回來即開始辦理報到手續，十分複雜，整整跑了一下午，才將手續辦妥，入隊住宿，檢查體格；順利通過，稍爲寬心。

砲兵學校爲日式建築，房屋十分整齊，有樓房，亦有平房，場地寬敞，一切設備都很齊全，水電也很方便，晚上睡覺是在通舖木床上再架單人木床，被服整潔舒服，比起我們原在方山住帳蓬幕營的情形，可說天壤之別，再加隊職員對學員十分關心，辦事認眞負責，不禁使人敬佩，內心更覺舒暢。尚未經過複試，如此舒適生活是否能夠眞正享受到，尚在兩可之間，次日，便至南京買了兩塊敲門磚—砲兵操典及砲長必携，加緊硏習，以期複試順利過關。

校方公布複試日程：十六日上午：口試、實兵指揮。下午：國文、黨義、歷史、地理。十七日上午：數理化、砲兵操典、射擊教範、觀通教範。

考前充分準備，考時沉著應試，結果順利通過，公布榜單，我名列十一，欣喜不已。

八月廿二日（星期日），報到、編隊、分兩個教授班，依榜單名次，我編入第一教授班。然後領被服、文具；整理教室，隔日正式上課。

下午將所發的衣服換上，準備上街去買些日用品，路過校門時，衛兵突然喊口令向我敬禮，因系初次使我有些不自然，頓時覺悟到今後的身分就不同了。由士兵變爲軍官，待遇確實不同。

八月廿三日（星期一），正式上課第一天，先由大隊長講話：說明我們是：「中央軍官學校特訓班十六期」，爲軍人正式出身，接著是一節英文課，由一位徐德飾女老師教，據說她是寧建棟大隊長的夫人，口齒清晰，發音正確，教得很好，讓我們印象最深刻的是她每次上課，都穿不同的衣服。受訓期間，由於物價波動厲害，不但菜不好，連飯亦吃不飽。所以每逢星期日，三五同學便至校外湊錢加菜，買紅燒豬肉吃，引爲樂事。

教師節紀念會時，同時舉行我們的開學典禮，然後放假一天，晚上演平劇，黃鶴樓一劇中飾張飛的角色，演得很出色，掌聲不絕；使我有所感想：凡人無論做任何事，都要做得有聲有色，才能讓人激賞，但如何才能達此境界呢！沒有別的，只要有決心，有毅力，沒有做不到的，這就是「天下無難事，只怕有心人」的道理，務必以此自我要求。

時局逆轉，奉命遷校，乘火車由南京至上海，經杭州三十八年（一九四九）元旦在杭州車站火車上度過，並感慨世事多變，回憶卅六年元旦在洛陽，卅七年在鄭州，今（卅八）年在杭州，明年元旦不知又身處何方？元月五日車行至江西南昌車站，休息用餐，當時風雪飄飄，寒氣逼人，飯後繼續前進，贛江鐵橋遭破壞，車行便橋，路基不穩，車行甚慢，轉入粵漢線後，才車行順暢，終於元月十一日清晨抵達目的地—湖南衡陽。自卅七年十二月廿七日由南京湯山出發，一路走走停停，至卅八年一月十一日止，前後共坐了半個月的火車，眞夠累人。

到衡陽我們駐進市郊一所「新民中學校」裡，該處三面環山，一面臨河，環境清幽，校舍新建，甚爲整潔。

元月廿一日恢復正式上課，每日七節，晚上無電燈無法自習，且學校散居數處，供應諸多不便。加之時局不安，和談氣氛瀰漫，部隊來的同學薪餉難繼，故有人醞釀要求提前畢業，以後校方決定我們將於三月廿日畢業。當時我們的生活情形是「衣不暖、食不飽、住不安、身旬日不克浴、髮竟月無錢理，腹中轆轆，難安於學」。當時雖然環境惡劣，但內心卻有一股力量在激勵著我，要刻苦自勵，力爭上游；也有一股力量在約束著我，那就是父親的臨別囑咐：「出去沒有成就，沒有關係，但千萬不可染上不良嗜好」，於是我謹記斯言，潔身自好。不同流合污，發憤圖強，以救國救民爲己任。我的求知欲很強，當時讀了不少有關國父遺教的書籍。

卅八年（一九四九）三月四日（星期五），當我們上兵器課時，講解美造戰車防禦槍榴彈，實彈射擊，在我旁邊的一位發射手，很早就把保險插銷拔掉了，彈上槍口，待發狀態，但教官卻還在講個不停，遲遲不下「發射」口令，結果槍榴彈自動爆炸了，距我們排排坐的隊伍不到五碼，轟然巨響，一陣混亂，一塊破片擊中我的右肩，當時感到麻木，我便倒在地上，同學一陣喧譁，便將我抬去醫院將彈片取出，裹傷。因並不十分嚴重，且學校不肯付住院費，我亦無力支付，只好回學校療養，幸好有同鄉好友荊耀山，寸步不離的照顧我，令我感激。

當時因傷臥床，百無聊奈，寫了幾首打油詩以抒懷：

負傷坐愁城，誰人知我此時情，
琴絃斷，苦難鳴。
悶擁孤衾夢鄉行，　尋好夢，夢難成。
依枕斜臥不成寐，　那知人間又一春。
含笑問君春何在？　欲往江邊桃裡尋。

×××

眼看花開花又落，害得我青春空過。

烽火未息志未遂，軀己挫，奈若何！

我們於三月廿八日舉行畢業典禮，畢業成績我名列第一，因傷勢未癒，記得由劉宏武同學代爲受獎。

叁、軍官生活

一、赴臺歸建

砲校畢業後，已具備軍官資格，曾考慮去處，郭仲模同學願介紹我同荊耀山倆去七十軍服務，亦可赴臺灣至原部隊服務，猶豫不決，曾請教當時的大隊長寧建棟先生（他是我們山西同鄉），他說「還是回原部隊較妥」，於是我們於四月十二日領了旅費，十四元大洋，便至衡陽接兵站，準備隨船赴臺，返部歸建。

當時情勢混亂，火車誤點是極平常的事，武漢吃緊，急行疏散，火車更是擁擠紊亂，四月廿一日我們由衡陽至長沙，九十餘哩的路程，車行九個小時，連日陰雨綿綿，車站擁擠，扒手很多，我的雨傘不知何時被人拿走了，上車時一陣擁擠，當我將行李放好，找到座位坐定，已累得滿身大汗，正要準備休息一下，當我用手摸手帕要擦汗時，忽然發現軍常服右下方大口袋被割破了，是我裝錢的地方，頓時使我內心一驚，再用手向另一角一摸，幸好我的錢未被拿去，當時我的全部財產，也就是一個金戒指及三塊大洋：謝天謝地！眞是天無絕人之路，否則，我眞不知如何渡海來臺。

五月一日晚，離開使人流連的長沙，三日晚抵達廣州睡夢中聽說「到了！到了！廣州到了！」，又有人說「已兩點鐘了！晚上就在車上睡，待天亮再走！」車廂內蚊子很多，清早起來手臂被叮得通紅，昨晚未吃飽，肚子早已餓了，於是同耀山至附近街上將身上所剩的唯一「大頭」（銀元）換了七元港幣，倆人吃早餐用去七角，所餘的就是我倆在搭船至臺前的所有經費，且船期未定，生活費昂貴，怎能不令人躭心。

五月八日午後一時，在黃浦港碼頭，隨由武漢區招來的新兵登上船去，八時輪船駛入大海，巨浪翻騰，船顚簸不已，暈船者夥，我亦其中之一，遂在甲板上找個地方睡下，以免嘔吐，正在迷糊睡夢中，聽人嚷著「看見山了！十二時就可到高雄了」，時爲五月十日上午，當時已風平浪靜，頭腦清醒，不覺暈了，遂爬起來，憑欄而望，大海茫茫，岸邊景物逐漸接近，十二時果然到達我嚮往已久的臺灣寶島。船停在高雄碼頭，下船後，舉目無親，無人接船，遂同耀山二人，自行摸索，找部隊去報到。因在船上兩天未進食，下船後才覺餓腸轆轆，急需用餐，但身無分文，於是又去銀樓，將身上僅存而當時在長沙車站未被扒去的那隻金戒指，換了些台幣，我倆才去路邊攤買了兩碗米粉魚丸湯吃，初次嚐到臺灣味道，尙覺可口。

然後乘公車至五塊厝—我們部隊的駐地，先找到潘農同鄉，才稍覺安心，以後又遇到趙旺宋、竇克端、李耀濱等，互訴離情，甚歡。我們原來的部隊已改編爲八十軍，人事大變動，沒有幾個熟人。向軍部報到後，被派至砲兵營服務，經營長批示我爲第二連計算員，荊耀山爲第三連計算員，以准尉任用，五月一日起薪，當時砲兵營住在屏東大武營房，沒有幾天我又被派至第一連任機槍班長，同幾位排長住在一起，如此才算安定下來。當時與同室者共六人：即邊樹藩、童啓祥、張安民、魏××、周彤光及我。邊年齡較長，好學不倦，終日暇時攻讀英、數，且無不良嗜好，對我影響頗大。初到連上似乎有些不太適應，故心情並不愉快，當時准尉月薪八十五萬元舊台幣，理髮一次壹萬元，我不煙不酒亦無其他負擔，日用仍不夠支配，最喜歡吃的香蕉，及看電影有時亦無法滿足。

初出學校，經驗薄弱，處事難免欠當，被人譏諷，深感「學到用時方恨少，事非經過不知難」，於是下定決心，虛心學習，充實自己，以積極進取的態度，消除消沉與頹廢。初至連上要我任機槍班長，實際我對機槍並不熟悉，深以爲苦，七月六日實施連戰鬥教練時，才調我任計算員職，這才使我得心應手，如魚得水，得有所發揮，由此可見用人適才適所的重要了。

卅八年八月一日幣制改革，月薪廿一元新台幣；以五元買了一本代數學講義，以便自修。

二、開赴前線

三十八年（一九四九）八月廿一日，宣布官兵一律不准外出，並傳聞「我們將要出發了」，此一驚人消息使人感到有些意外，廿四日軍部召開「歡送砲兵營全體將士出征大會」，軍長親臨致詞，說明我們的目的地是舟山群島定海縣，是一項光榮的任務，要提高警覺，絕不擾民等。於是晚上我們到屏東去兌換銀幣，因台幣到舟山不適用，全營都去換，一時之間屏東銀幣給換光了。

廿五日上午即開往高雄港口，中午軍部政工人員至港口獻花歡送，臨別高呼口號情緒激昂。下午登上中字一〇六號登陸艇待發，七時半發動離港，此時天色已暗，岸上燈火通明，西天一片晚霞，如火炬般照耀海面，我們高唱著軍歌向前進發，離開了革命策源地臺灣，邁向戰火密布的大陸。行進中，天晴日暖，風平浪靜，不覺暈船，憑欄眺望；海鳥旋空，魚躍海面，四望無際，所見非天即水，海上觀日出、日落，景緻絕佳。

廿八日傍晚船逼近舟山群島，小島林立，船穿行其間，夜行不便，深怕觸礁，遂拋錨以待天明。據說各島土匪甚多，恐遭夜襲，嚴密警戒中。次日，七時起錨，向定海行駛，十二時抵達，卅日進入住地—定海城東甬東鄉。

九月五日進入陣地（外螺洋村），構築工事，架設線路，作戰鬥準備，九月十四日觀測員升副連長，其職由我暫代，敵情判斷，匪將於近日進攻定海，於是我們向大榭島試射，空軍亦連日出擊炸射。

當時國軍連連失利，國土淪喪將盡，蔣總統中正下野，失去領導中心，副總統兼行政院長陳誠先生為激勵士氣，特於十月廿日至定海為國軍幹部講話，打氣，要求要以「打倒蘇聯消滅共匪為職責；確保定海反攻大陸為任務，要明生死，大丈夫保國衛民，生死宜置之度外，於國有益死亦榮，為人奴役生可恥，無糧無餉不足忠，唯患不明生與死，要求軍紀嚴明，絕不擾民，擾民即為土匪，打敗仗為軍人之最大恥辱，若擾民更為可恥，勉之！勉之！」

我們住在葉家嶺，鹽河鄉十四保保長家，家有一妙齡女郎，姓錢名霞晶，就讀定海舟山中學，體態輕盈，頗具姿色，觀測員陳衛清欲追求，似無結果，他家老三太太對我很好，聽說我們將離此他去，頗感意外，爲我打洗臉水，供點心，其情依依。

三、登步大捷

十月廿三日我們奉命移防，由沈家門碼頭乘船至登步島，此島面積不大，有兩座山，一前一後，前曰流水岩，後曰大山，山亦不高，約數百公尺，周圍各島均已失守，最近處相距僅二千餘公尺，對方狀況，一目了然，情況相當吃緊，民房十室九空，居民多已逃離，我們遂即佔領陣地，準備就緒，即行試射。

十月廿七日傍晚，對面共軍亦以迫擊砲向我沿岸步兵射擊，我以七五榴彈砲制壓後，方歸沉寂，廿八日晚敵人又向附近螞蟻島射擊，我方又以砲火壓制而沉寂，此時我方砲陣地位於陸家嶴後山上，觀測所則位於流水岩山頂上，我與陳衛清觀測員及士兵十餘人，住於半山一家民宅中，屋主早已逃離，房中有一閣樓。其中藏書不少，想必爲一讀書人家，屋前有小院，院中植玫瑰一株，花色鮮紅，十分艷麗：眞是戰地玫瑰，頗有韻味。

我方爲擾亂敵人視聽，採用「游動砲兵」方式，即將火砲以人力拖至山頂，採直接瞄準，提高命中率，且可節省彈藥，射擊一陣後再拖至別處，如此使敵人無法測知我之確實砲位，不失爲一良策。

十一月二日，發現對岸敵人加強工事，集結漁船，似有所行動，於是我們以火砲射擊，空軍亦出動轟炸，連日陰雨濃霧瀰漫，有礙射擊，暫時停止。

三日傍晚，雨仍在下著，突然對方以猛烈砲火向我前線射擊，大小火砲齊發，彈著均落在第一線，我方隨即制壓，雙方火力交織，你來我往，非常激烈，火光流竄，聲震霄漢，歷約時許，漸漸沉寂。又過片刻，七時整忽聽機槍聲人作，意識到敵人開始進攻了，午夜匪已登陸，攻上流水岩，我觀測人員隨同步兵指揮所人員後撤，雨仍在下著，步兵在前支撐，與敵對峙，敵人對島上狀況不明，夜晚亦不敢冒進。次日（四日）清晨，援軍抵達，即開始反擊，砲兵仍固守陣地，以直接瞄準支援步兵反攻，發揮很大威力，親眼看到砲彈射出，將敵人打得跳了起來。嗣後匪我各據一山，至晚未動，夜宿戰壕中，五日拂曉，匪向我攻擊，火力甚猛，情勢危急，有人認為大勢已去，恐無救矣。但我砲兵向匪直接有效急烈連續猛擊。敵火被我壓制，我步兵方得前進，眼見雙方實施肉搏戰，一波接一波，空軍適時趕來炸射，不久我軍連續攻下幾個山頭，情況大為好轉，當時我連上有三人負傷，彈藥即將用盡，急電補給，不久敵人已被消滅，未被打死者亦被趕下海。那時我負責與軍部連絡，戰區指揮為八十七軍軍長朱致一將軍，軍長對我們砲兵的有效支援讚不絕口，連聲稱道：「你們連能在昨天早晨混亂時期，沉著應戰，扭轉局勢，洵屬可佩」。並講了些其他獎勵的話，最後特賞全連一百元大洋。

六日，清理戰場，我們重登山頂觀測所，山頂情景悽慘：陳屍遍野，令人骨悚，敵人遺棄武器隨處皆是，此時槍聲已息，全島光復，宣告大捷。

國軍自徐蚌會戰後，情況急轉直下，可說節節敗退，士氣低落，已失去信心，自登步大捷後，全國聞訊無不雀躍，士氣爲之大振，我與有榮焉。

戰事平息，我仍利用時間讀書寫字，不忘進修，正好該屋藏有綱鑑易知錄一部，逐日閱讀，以增長我的歷史知識。並將曾文正公家書閱完，對個人進德修業，頗有助益。可說句句金玉良言，可惜不能熟記，深以爲憾。茲錄其爲學四則，以供參考。

爲學四則：

一曰：看生書宜求速，不多閱則太陋。

一曰：溫舊書宜求熟，不背誦則易忘。

一曰：習字宜有恒，不善寫則如身之無衣，山之無木。

一曰：作文宜苦思，不善作則如人之啞不能言，馬之跛不能行。

四者缺一不可。

閱綱鑑至周宣王有姜后脫簪珥諫王一節，其義可嘉，錄之如次：「時宣王晏起，姜后脫簪珥，待罪於永巷（宮中獄名）使其傅母（女師）通言於王曰：「妾不才使君王樂色而忘德，失禮而晏朝。夫苟樂色必好奢，好奢必窮樂，窮樂者亂之所興也，原亂之興自婢子始，敢請罪。」王曰：「寡人不德，實自生過。非夫人之罪也」，由王能聽后之言，故成中興之名。

時庭院中玫瑰花含苞待放，我摘二苞入杯中，以開水沖泡，香馥濃郁，清香撲鼻，故有「日飲玫瑰茶，夜多相思夢」之句。

戰地漂零，思鄉心切，遂有感抒懷，寫了一闕夜想思：「夜衾寒，苦難眠，欲坐起，更孤單，豆燈如線，奄奄欲暗，更添游子心頭酸，憶故里心奇寒，高堂父母心何堪，若爲昇平且猶可，匪流赤禍何得安？家中不知兒消息，游子思家苦不堪，如此夜長實綿綿，吾心有思難入眠，孤鴻掠空一聲鳴，心喜帶來故里風，誰知空空無消息，徒增余心一縷寒」。

十二月一日任務由砲十三團接替，本連離登步，在沉家門停留幾天，重回定海鹽河鄉了，餘暇時研讀曾胡治兵語錄，及孫子兵法，每日運動，練機械操，跳高可過一三七公分。

時局日趨緊張，我們加強備戰，每日構築陣地，火砲上山下山，搬運彈藥，十分辛苦，加之連日陰雨，更增加了工作難度，有時要忙到午夜方息。

四、轉進臺灣

在舟山定海時，我們奉命部分官兵編入六十七軍，留在定海，其餘返臺，我在被留之列，卅九年四月七日正式加入陸軍第六十七軍砲兵營，並升任第二連中尉副連長，軍長劉廉一將軍曾蒞臨爲我們講話，表示歡迎。

四月廿八日聽說海南島失守，舟山群島情況更形緊張，總統蔣中正於三月一日復行視事，四月廿八日即赴舟山定海向團級以上幹部講話，想當時已給當地負責人重要決策指示，那就是半個月以後我們的行動——撤離舟山轉進臺灣。

五月十二日上午連長自營部開會回來說：「我們整個部署有所變動」，遂即停止操作，將火砲從山上放下，因山高坡陡，人少路險，費了半天工夫才將火砲自山上運下來，由於連日來士兵整日作工，加之火砲、彈藥搬上搬下，實在疲憊不堪，夜晚砲聲隆隆，遂即就地佔領陣地，以迎接突發狀況，十三日又接準備行動指示，全體動員將火砲，彈藥移至路邊，準備裝車，由於車輛不足，無法一次運完，運了幾趟直到午夜方才全部抵達目的地－碼頭附近，夜露宿砲傍，眞所謂「枕戈待旦」了。

此次行動，全不清楚，保密工作十分成功，有人說「撤守」有人說「反攻」，一般人都蒙在鼓裡，不過依日內車輛運輸頻繁，且都向碼頭移動，再依整個局勢判斷，應該是「撤守」了。次日下午又奉命佔領陣地，射向指向我們來的地方，作掩護狀，此時已確切了解是要「撤守」了，時細雨綿綿，我們趕作陣地，準備夜宿，但未至深夜又奉命向碼頭前移，並準備上船。夜雨不停，碼頭車輛擁擠，人群熙攘，人多路小，情況凌亂。晚上很冷，無處躲避，只好在雨中棲息，環顧四周，只見物資亂拋，皮箱、衣物等，無人暇顧。

五月十五日清早再向前移，此時舟山主力業已撤走，只留少數部隊及車輛。我們於下午二時上船，時情況緊張，秩序混亂，四時離岸向海上進發，此時心情輕鬆，希望不要暈船，早日平安抵達曾去過的臺灣。

經一夜顚簸，昏睡，十七日晨，清光普照，四望無際，甚感舒暢。正在觀海之際，忽聽廣播曰：「下午一時即可進港」，果然準時抵達基隆碼頭，七時下船上岸，結束前線支援任務。

五、整編訓練

初抵臺，本營暫住臺北市私立泰北中學女生部。大部（軍部）住省立臺北商業職業學校（臺北商專前身），五月廿三日清晨參加大部朝會，先生（劉廉一軍長）爲幹部訓話，首先說明舟山撤守係基於戰略考慮，要集中兵力，今後任務是「鞏固臺澎金馬，進而反攻大陸」。並要求服從命令，嚴守規定。是日我由第二連調至營部連服務，連長謝有爲上尉。未幾營部連改爲砲四連，謝連長及荊耀山均調至第三連。四連連長由原三連副連長柯瀛富升任。接著充員戰士加人，人數充足，住地狹窄，只好利用外面道路集合，然後帶到公園去活動。

六月六日由泰北中學遷移至中和國小，寬敞多了。且旁有一小溪可以洗滌，而泰北中學女生特至中和爲我們表演歌舞節目，並分贈慰問品，熱情感人。

至中和後，生活較爲安定，每日依計劃操課，我於餘暇研讀中國之命運及知難行易學說，立志要成一位模範軍人，並以三事自勉：「一、就地訓練，隨時注意自身言行，力求得體，二、手不釋卷，保持高度學習精神，不斷吸收新知，以求日新又新，三、厲行工作檢討與批評，改正錯誤，以求健全」。

不料本營於六月十五日又由中和遷至樹林中學，我又由砲四連調至營部連，教觀測班，戰士們個個打赤膊，連日野外操課，初由白晒紅而痛，再由紅變黑脫皮，二週後又遷回中和國小，由於被蛟叮咬染患瘧疾，忽冷忽熱，難受至極。

時韓戰爆發，我們有參戰可能，更新裝備，加強訓練，經校閱後，論功行賞，我依票選晉升中尉，中秋節調至營部服務。

十月廿二日六十七軍於桃園八德機場，接受總統校閱，並致詞：「要刻苦耐勞，要犧牲奮鬥，要嚴守紀律，要服從命令」。

十一月二日溫哈熊先生接任副營長職（溫氏美國維吉尼亞軍校畢業民國七十三年晉任二級上將擔任國防部聯勤總司令），我又調至第二連服務。

四十年元月八日，政府黨政軍各界初次擴大紀念週，蔣總統親臨主持，強調其去年五月間所講的：「一年準備，二年反攻，三年掃蕩，五年成功」，時韓戰正酣，聯軍已撤出漢城，元山一帶，美方呼籲要求蔣總統反攻大陸，並提議以十億美元援華，軍援為主，經援次之。二月一日聯合國政委會以44票對8票通過美建議譴責中共為侵略者。

六、鳳山受訓

四十年（一九五一）三月十七日赴鳳山陸軍訓練基地砲兵大隊受訓，大隊長為李長浩中校，頗有軍人風度，學員總隊區分為三大隊，九中隊，一二大隊為步兵，三大隊為砲兵，各隊教育重點均有不同。砲兵大隊所教的均為我前在砲校時已學過了，故顯得輕鬆愉快。

受訓期間，政戰部主任蔣經國來講話：「軍人以服從為第一，軍隊以精神為第一，軍事以勝利為第一，國家以利益爲第一」。

五月三日星期四，上午獨自正坐在教室看書，忽然值星官叫去說：「結業成績你考第一，準備到總隊部練習領獎」，使我感到意外，全未想到會得第一，頓時有些緊張，稍後始覺泰然。

全體聚餐時，陸軍官校校長講軍校教育重點：「1.革命精神—不怕死，2.革命方法—以少勝多，3.革命紀律—打勝戰，4.軍人儀態—莊嚴和藹」。

次日上午舉行畢業典禮，總統因事不克前來主持，故由陸軍總司令孫立人將軍主持，全校參加，典禮十分隆重，當時我上台受奬，甚感光榮，然後主席致詞及臨別贈言。「誠，拙」二字，誠從言，拙從手，即說了就要作。結業後又延長三天，由孫立人司令講統御學，實乃其本人經歷，有的人已聽過數次，有些厭煩，但我却係初次，仍感新鮮，他有題綱，將原則提出，然後以自己親身事例來說明，我感獲益匪淺，不啻爲我指出一條奮鬥的正確路線。

受訓返部後，利用操課餘暇，向附近居民朋友借普通中學課本自修，以彌補我那因戰亂而殘缺不全的中學教育。

五月五日端陽節，不禁又引起我的思緒，回憶流浪五年的端節，意味各有不同，卅六年在鄭州東張，卅七年在南京方山。卅八年在臺灣屏東，卅九年在臺灣樹林，四十年仍在臺灣，却在中和，年年都有粽子吃，今（四十）年較爲豐盛。

七、訓練新兵

六月廿三日奉命至鳳山受統御學特別訓練，準備帶領充員戰士（台籍新兵），因關係重大，上級甚爲重視，國防部長曾來巡視並講話，要求「要提高政治認識，精練學術技能，鍛練健全體魄」，沒過幾天總司令亦來講話，提示：「要明瞭自身責任重大，成敗與否直接影響日後徵兵政策，同時要求大家把新兵當作自己子弟看待，全付精神要放在新兵身上，只許成功不許失敗」。七月十日結業返部，結束兩週的新兵幹部訓練。一月後便調至中壢霄裡擔任訓練新兵任務。

霄裡營房是建在一塊紅土高原上，土含膠質不長樹木，共有兩座營房，可容兩團居住，去年才由聯勤負責建成，每棟房屋以住一連爲度，內置雙層木床，有一小辦公室，四週以竹木爲牆，牆上有窗，並留三門，空氣流通，上蓋石棉瓦，夏熱冬冷，很不好受，另有廚房，廁所分別建立，但無浴室及教室，因地高缺水，沒有樹木，使人有置身「戈壁」之感。

八月廿日，一百六十位充員戰士終於報到了，並有家屬隨同前來，老戰友們列隊鼓掌歡迎，情況熱烈，下車後我們熱情接待，遂即編隊，領發物品—衣服鞋襪等，指導他們整床舖，掛蚊帳，至夜十二時方就寢。今日的心情好似在「迎新娘」，又像照顧小孩一樣，一時不得疏忽，但最大困難是語言不通，其次是生活不習慣。

次日，開訓典禮由副軍長許朗軒少將主持，國防部、省政府均派人來參加並講話，強調此次訓練有關國家徵兵政策意義重大，會後又召集幹部訓話，要求「不逃亡第一」，其次，不能讓新兵向家長訴苦，說你們的壞話，再者千萬不能虐待新兵，不然以阻礙兵役破壞臺灣與內地人之情感論罪，情形非常嚴重，並轉達國防部宣示「凡所有新兵單位，誰先有逃亡者，誰的部隊長及各級幹部均須受嚴格之處分」，所以我們無不小心翼翼地照顧新兵。

為怕新兵思念鄉情，於是將同地區的編在一起，我帶的是瑞芳人，有一天，他們與新店的發生爭執，幾乎要打起來，經厭制調解方罷，沒過幾天，夜晚又發生失竊事件，衣服掛在床頭有人自窗外竊取數百元及鋼筆等，事後查不出結果，隊長願意負責賠償損失，但失主不贊成，並要求自己輪流站衛兵，以防再遭偷竊。

星期假日，許多家屬前來會客，若外出者需塡聯保單，第一個星期日安然度過，都能按時歸營，皆大歡喜。但第二週日却有十七人外出不歸，這一下可麻煩了，於是隊長決定親自率幹部連夜去追回，先至各鄉公所會同警察然後至各新兵家找人，結果一個也沒有找到，以後由警察協助繼續追查，我們便回營了。

中秋節前夕，我因要擔任營教練觀測教官故被營長派人換回營去，帶了三個星期的新兵，也獲得一些經驗，年終考績我被票選評為全營最優，給我莫大鼓勵，也增強了我的自信。

八、投考官校

民國四十年（一九五一）十月廿八日，六十七軍砲兵營由中和遷往桃園大湳營房，爲臨時搭建之克難式營房，以竹爲牆，稻草蓋頂，十分簡陋，窗小地濕，屋中空無一物，士兵寢室有架好的雙層竹床通舖，並有草墊，但軍官却需以自費購買竹床，同室三人，他們各以十八元購一竹床睡得很好，然我無資購床只好以克難方式架設一個，先睡一夜再說。

大湳營區範圍較大，可容納一個師居住訓練，附近一條小街，幾家店舖，一所國小，爲我們餘暇漫步散心的地方。有一天，與楊敬修發現大湳國小夜間有英文補習班，由一中年婦人在教發音，據說她係美國某大學畢業，於是我們請她（丁老師）爲我們補習英文，教材爲「新中國New China」，當時感到生字很多，有些困難，不過我還是咬緊牙關，極力克服。一有空就讀英文，充分利用時間複習初中英文課本，並收聽空中英語教學—英語文摘，以期奠定基礎。

在大湳期間，部隊準備接受年終校閱，故每天忙於操練演習，有實彈射擊，各種火器表演，有空軍及戰車支援，步砲協同營攻擊示範及營防禦火力表演，正式校閱時總統親臨主持，十分精彩而壯觀。

民國四十一年（一九五二）元月廿四日，看到陸軍官校招收廿五期新生公文，詳閱後決心報考，於是搜集資料，積極準備，並與尋國棟，荊耀山商議，討論，他們不準備參加，但我決心以赴，經過重重關卡，先經師部測驗，再經軍部測驗，包括體驗，筆試，實兵指揮及口試，在軍部體檢時說我左肺支氣管有毛病，不禁使我躭心！但不妨礙報考，這兩關通過後，才可參加北區軍校招生辦事處的初試，據報載已有六千五百餘人報名，先行體檢，經**X**光檢查結果我的肺部沒有毛病，這才洗去我心中疑慮，增強了我的決心與信心，體檢及格才可參加筆試，體檢錄取八百餘人，我為其中之一。此時荊耀山又想報考，遂請求軍部承辦人代為補辦報考手續，至報名截止前卅分鐘送達臺北招生辦事處，還有些文件不全，經再三要求並答應補送才准報名，接著補行體檢，也通過了。

一週後舉行口試，應試者八四九人，分兩日實施，口試場分為四站：第一站，問政治問題得十七分，第二站問軍事學科，得滿分廿五分，第三四站在一起，問普通學科及儀態、語言。最關重要，成績如何？不得而知，猜想應該會及格吧！

隔日舉行筆試，地點在成功中學，共分兩天，首日上午考國文及黨義，下午為史地、理化，次日上午為數學、外文（我考日文），下午為典範令。結束後自覺成績尚感滿意。

二月廿六日去臺北看榜，我及荊耀山都錄取了，並限廿八日上午報到，我們依限報到後即編隊，乘火車南下，坐了十二個小時方抵達鳳山陸軍官校，參加複試。

三月一日，體格檢查：結果評為乙等，有資格參加筆試，三月四日，開始筆試，共分三天。首日第一節先考國文，題目是「現階段中國軍人之使命」，第二節考黨義，分單雙號，題目不同，下午考歷史、地理，次日考數理化，分別各考一節，今日可說是我最感吃力的一天，第三天考三角、外文及典範令三節，外文我選考日文，下午考完頓感輕鬆。不過整個考程尚未結束，隔日考實兵指揮，共分十一個項目，由立正，稍息到攻擊伍，均由自己實作或講解，因自己事先並未準備，結果得了七十六分，及格了。

最後一天為口試，共分五站，第一站全都答對，得一個「同」字，即「同心合力」四個等級中的首位。第二站又得一個「反共抗俄」的「反」字。第三站亦「同」。第四站得一個「雪恥復仇」的「雪」字，第五站因把程序單交給主考官了，不知成績如何？因我運氣很好，想亦應不會太差，到現在才算真正考完了。至於能否錄取，一週後便可分曉。

在報考軍校以前，「要不要報考」這個問題，在腦海中盤旋好久，經過再三考慮才下定決心「要考」了。經過層層關卡，費盡九牛二虎之力，前後歷月餘時間，現在總算考過了。至於能否錄取尚在兩可之間，不過經這幾天我們在考試期間，看到目前軍校教育的方式及日常生活情形，使我的信心有些動搖，我在考慮縱然考取要不要去讀的問題，我想此將是我一生中的一個轉捩點，關係重大，不得不慎重將事。

當我考畢回到部隊等待放榜之際，同時考慮我的出路問題時，適值砲兵學校召訓初級班學員，且營長願保送我去砲校初級班受訓，於是決定先赴砲校再講。

九、重入砲校

三月十五日，便乘火車去臺南四分子砲兵學校報到了，遇到魏謙同學亦去受訓，次日舉行入學測驗，題目簡單，均為本科，據黃建中同學講我得86分，體檢總評為「甲」。

週一正式上課，所授科目皆我前在湯山砲校時已學過了，能複習一次亦屬不錯。

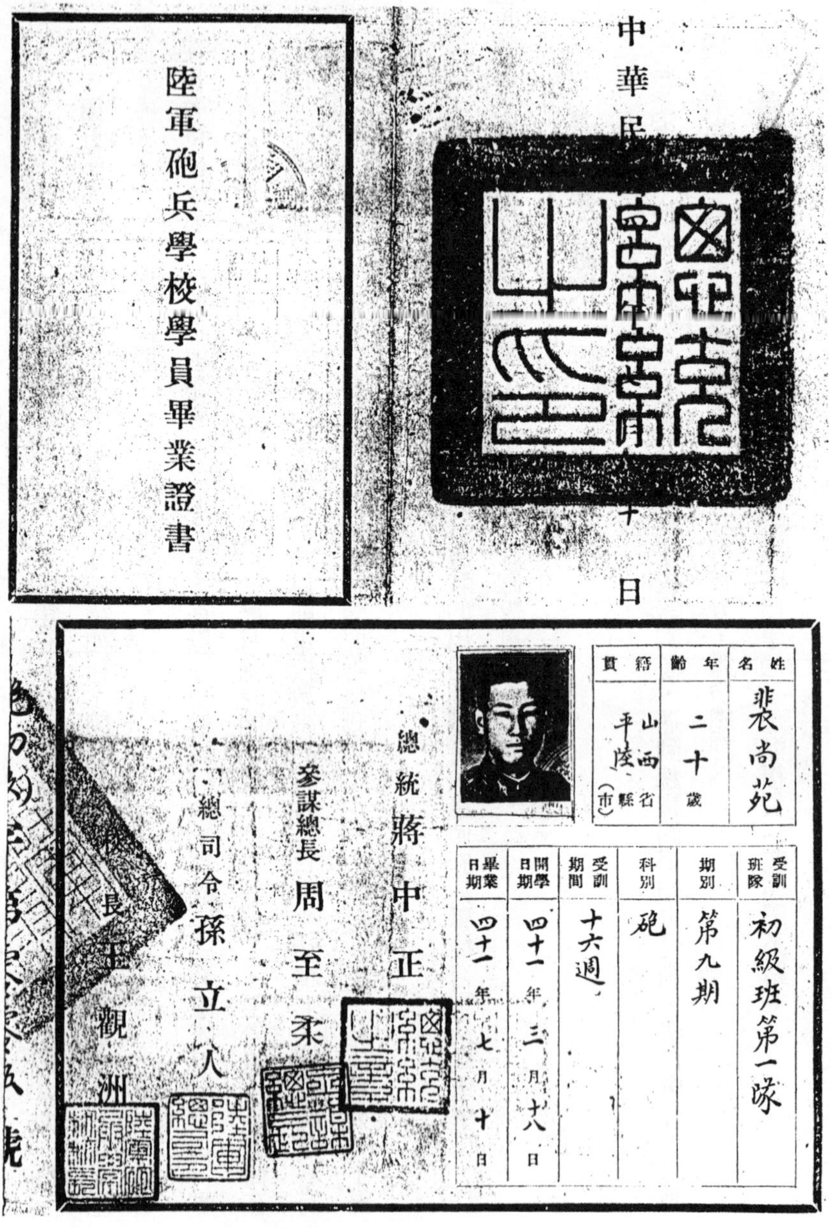

陸軍砲兵學校學員畢業證書

中華民國……十日

姓名	年齡	籍貫
裴尚苑	二十歲	山西省 平陸縣(市)

受訓班隊	期別	科別	受訓期間	開學日期	畢業日期
初級班第一隊	第九期	砲	十六週	四十一年三月十八日	四十一年七月十日

總統 蔣中正

參謀總長 周至柔

總司令 孫立人

校長 王觀洲

三月廿七日接同鄉柴靄來信說我「軍校廿五期入學考錄取了」。此時又引起我一陣矛盾的思潮，想去又不想去，猶豫不決，進退兩難，若去怕身體受不了煎熬，不去又有些可惜，經過一番波折與掙扎，最後還是決定放棄了。

自到砲校以來，課程多已學過，十分輕鬆，於是利用時間研讀英文—新中國，星期假日就去看電影，也可得到一些啓示，同時體會到一個人必須安分守己，盡力而爲，將來必有好收場，反之，一個人如果只是好高騖遠，專謀分外之財，必無好結果。

初級班使我最感興趣的課目是汽車學，不但可懂得汽車構造原理，且可習得駕駛技術，尙可參加執照考試，實在不錯。

課餘研讀國父遺教及總統訓詞，中國之命運中描寫張學良的事，有詩一首：

趙四風流朱五狂，翩翩蝴蝶最當行，
溫柔即是英雄塚，那管東師入瀋陽。

七月十四日砲校初級班第九期（遷臺後第一期）畢業典禮，由陸軍總司令孫立人將軍主持，典禮後合照，然後聚餐，中餐西吃，一人一份，場面壯闊，氣氛熱烈，會後即整裝返部，結束四個月的砲校生活。

十、雙十國慶

結業返部，當回程火車抵湖口站時，遇見饒顯光、王定鼎二位指導員，據說六十七軍砲兵營已自大湳移至崎頂營房了，現部隊正在湖口演習，於是我便去桃園崎頂。

回營後仍至營部連負責測量教育，當時連長爲黃志炯先生，我任副連長，營長爲李策勳中校。日前自李耀濱處得知同鄉且有親戚關係的姜善亭先生住址，他在台糖西湖糖廠服務，於是寫信與其連絡。

九月十日藉赴砲校駕訓隊受訓之便，順道至溪湖糖廠拜訪善亭表叔，（他的姑母是我的祖母），爲初次異地相逢，倍感親切，在糖廠招待所住兩日後便赴砲校駕訓隊報到。受訓期限僅兩週，故進度很快，很難達到熟練程度，公路駕駛僅換手三次，已略有把握，接著夜間駕駛，困難地形駕駛，牽引駕駛，市區駕駛，全部練完，經過考試，便告結業。

十月二日隨部隊至林口大湖國小，準備參加雙十節國慶閱兵練習，十月三日由總司令預校，於林口機場實施，先閱兵，次分列式，二百餘輛大小車輛及各種火砲依序由司令台前通過，十分壯觀。九日出發開往臺北，一路軍容煥發，精神抖擻，步伐整齊，全新服裝，皮鞋咔咔作響，經過市區，民衆夾道圍觀，人人笑容滿面，嘖嘖稱奇，戰士們亦十分高興，個個胸部挺得高高的，顯得十分威武，我們暫住永樂國小，夜宿教室，準備明日正式校閱。

十月十日舉行國慶大典，當日秋高氣爽，風和日麗，四海同胞均歡欣鼓舞來慶祝此一偉大的開國紀念日，國府於臺北市總統府前舉行盛大紀念會及閱兵典禮，三軍將士將一年來的進步與訓練成果，展現在國人面前，六十七軍代表陸軍參加閱兵，自感任務艱巨而光榮，故各級官兵無不盡心盡力，以期圓滿達成任務。由於我們壯盛的軍容給市民帶來陣陣喝彩、歡呼，也給國人帶來了希望與光明。

上午十時整，總統蔣中正於廿一響禮砲聲中開始閱兵，在數十輛憲兵機車前導下，總統經過我們隊伍面前，大家個個睜大眼睛向他致敬，閱兵後我們隨即帶開，未參加分列式，這是我首次參加國慶閱兵大典，留下了深刻印象。

十一、臺南風情

四十一年（一九五二）十月廿八日，營移至臺南砲校，擔任示範部隊，在此生活安定，時間充裕，餘暇即利用時間充實自己，鍛鍊身體，如溜冰、健身、閱讀遺教及名著，並補習英文、日語等。

十一月十四日，風速每秒45公尺的極強烈颱風貝絲（Bess）襲境，將我從夢中驚醒，當時電燈全熄，一片漆黑，擦根火柴看看手錶，方三時許，風雨不停，但未聞瓦飛屋倒之聲尚稱平靜，未幾，風速大增，瓦飛屋漏，房倒，呼叫之聲隨之而起，戰士們個個爬起，情緒緊張，我穩住不動，並安撫他們，但教他們衣服穿好，準備應變，唯恐房被吹倒，爲瓦頂平房，並不堅固，四時許風聲漸小，雨卻大作，幸好我的住處尚未漏雨，於是又睡了一會。

清早起來，放眼看去一片慘狀，舊營房南半邊屋瓦均被吹去，司令台被吹倒了，所有香蕉樹均仆在地上，新校舍爲鐵皮頂，都不見了，情況更慘，幸無人員傷亡，六時許風停雨止，但仍有餘悸，早餐後即著手整理、修復。

臺南空軍基地設有空官招生處，當時同荊耀山欲報考飛行員，以展凌雲之志，奈何視力檢查未過，難酬壯志，不無遺憾。

㈠、買蛋記

有一天，供應砲校學員參觀實彈射擊，休息時想到附近百姓家買幾個雞蛋，以便中午加菜，曾問了幾家都沒有，最後看到一家房中廚內放著不少雞蛋，有一少婦背著小孩正在作飯，我問「雞蛋賣嗎」？她看了看說「不賣」，同時又指著背上的小孩說：「因爲小孩有病，自己要吃」，「你的蛋是從那兒買的」？我又問，她指著院內的雞群說：「自己的雞生的」，我問「那兒有賣蛋的」？她沉思了一會兒說：「要幾個」？我說「兩三枚即可」，她放下正在炒菜的鍋鏟向隔壁房間走去，並說「那我可以給你幾個」，我以爲她所說的「給」即「賣」的意思，於是跟著她去取，她在房中撿，我站在門外指著她背上的小孩說「幾歲了」，她並未看我說「兩歲」；「有幾個」？我又問，她說「就這一個」！是「男孩、女孩」我又問，她說「女的」，從她的裝束及言談中得知她是一位標準的家庭主婦，此時她轉身將雞蛋交給我，我亦從衣袋中拿出兩塊錢向她遞去，出乎意料的她說「不要錢」，於是我就把錢放在桌上並說「怎麼能不要錢呢」？此時她急忙抓住我的手同時將錢塞入我的衣袋中，又說「你若買多的我可以收錢，只要幾個就不要錢」，我看她非常誠懇且堅決不要，也不好再拉拉扯扯，於是接受了她的盛情，再三稱謝而去。

門外小木牌上「謝○○」三字，得知她乃謝太太，她有一幅高矮適中，骨骼端正，肥瘦相宜，各部勻稱的健美身材，態度落落大方，面龐秀麗仁厚，看來她確是一位標準的賢妻良母，她更有一顆仁慈寬厚而且敬軍愛國的心，令人敬佩，不禁要爲他們夫婦祝福，也爲她的小寶寶的健康而祈禱，吉人天相，定會早日康復。

(二)、倩影

當時腦海中常浮現著一個美麗的倩影，在我最初看見她時，心中即發出一種異樣的感覺，好像喝醉了酒，又如飄蕩在空中，記得曾向她佇立凝視，她亦還以令人難釋的眼光，令我不由自主地常去看她，白天、晚上都曾去過，甚至不辭勞苦遠道而行以期一睹芳容，在夜闌人靜時，獨伏書案時、吃飯時、睡覺時，她的一言一笑、一舉一動無不浮現在我的腦海中，使我心中感到愉快，有時不由發笑，好像看到她也在笑，露出一排玉齒，顯出兩個酒窩，是那麼甜美，迷人可愛的笑著，美麗的雲髮覆蓋著一幅白嫩潤紅瓜子形的面龐，她不擦口紅，有一顆天然的櫻桃小口；不修眉毛，便有動人的秋波，不像貴婦人那樣珠光寶氣，却是如此的高雅，她有胖瘦相宜，高矮適中的身材，雖不穿高跟鞋，走起路來却阿娜多姿，落落大方，儀態端莊淑雅，講話溫柔可愛，寫字流利秀麗，如此玉人怎能不叫人去思慕。

(三)、習素描

在臺南那段時間，對美術甚感興趣，曾自己利用時間繪製正氣歌人物圖像，並參加臺南美術研究社習畫，由臺南工學院教授郭柏川先生指導，每週三、日下午三小時，其餘時間由學生自習，每月學費四十元；對我來說難以負擔。不過郭教授答應我去工學院他的辦公室去學，不但距砲校較近且不收費，眞是給我這軍人最大的優待，無限的方便，另外若有時間願去研習社旁聽亦可，眞使我感激不盡。民國四十二年五月三日正式至美術社學習素描，該社設於施家，主人待我甚善，令我感動。休息時與小主人閒談，得知其家庭狀況：家道康裕，父母健在，兄弟姐妹共六人他排行第四，名叫博文，現就讀臺南二中三年級，畢業後擬投考空軍機校或工學院，爲一有志青年。

次日，又去工學院郭教授處習畫，因係第一天去，故先帶我到各處參觀一下，認識環境，並看了學生們的作品，及學校有關設備，同時也告訴我「今後只要有時間隨時都可去學，紙張、木炭及應用物品可任意取用」，眞是太好了。關於作畫方面，他說：「作畫不是模仿而貴創作，應發揮自己的個性及天賦」，回來後深感郭教授實在太好了，一定要努力學習，以免辜負他的好意。

再次至施家作畫，博文母親誠懇招待我，並請我用餐，被我婉謝，他妹妹美香爲我泡茶，另一妹妹郁香拿糖菓給我吃，如此熱情溫暖了我漂泊的心，深受感動，當我畫完畫後，又和郁香測字講故事，玩得眞快樂。

當時在工學院看到他們學生畢業的情形，不禁使我羨慕，但想到自己能在國家危機之際，投筆從戎，爲國效命又感到驕傲，在驕傲之餘，總爲自己未能受正規高等教育而遺憾，不過自我勉勵的在想，現在社會補習機會很多。只要有決心求上進，巧爲利用，多加努力，將來仍有成功的一天，深信「成敗全操在自己手裡」，只要肯努力沒有不成功的道理。

四十二年七月十八日離開了值得流連的臺南，使我不勝依依。

十二、代理連長

四十二年（一九五三）七月十九日抵達板橋，分駐土城，此地為窮鄉僻壤，交通不便，無法像在臺南時那樣安祥的進修與補習了，此亦為我不願離開臺南的主要原因，但服務軍中，身不由己，將奈之何，不過我絕不會中止我的學習，需要因地制宜，改變方式，照樣自修英語及素描，速寫等。在運動方面有乒乓球及游泳，自力健身操，偶爾吹簫以自娛。

部隊在進行八週訓練，並曾於林口機場代表陸軍接受美國史普敦上將檢閱，未幾邊樹藩連長因病住院，職務由我代理，李策勳營長奉調至大陳，九月一日離開砲兵營，營長職務由副營長暫代，稍後，人事異動，我由營部連調至營部服務。於是我由土城搬至板橋營部，環境有所不同，一為鄉下，一為市區，各有特色。每日早晚利用別人的收音機收聽英語學生文摘，由趙麗蓮博士主講，目的想考軍官外語班，到營部後我的自勵警語是：「把握時間，充實自己，德智兼修、追求理想」。

九月十八日奉命赴臺北車廠接車，參加五十二軍校閱，於是率領駕駛十餘人，由臺北開車至林口機場報到，夜宿林口國小。在那兒遇到兩位女老師談笑甚歡，另有一位吳姓男老師，共同收聽英語教學，也愉快地度過了三個星期。

十月廿七日，又至湖口參加演習，陸空聯合，飛機投汽油彈，火光沖天，大小火砲一齊發射，隆隆之聲不絕於耳，硝煙蔽天，十分壯觀，先由總司令孫立人將軍預校，日後由總統蔣中正親校。

十三、學習英打

十二月六日，全營分乘汽車由板橋沿縱貫公路經桃園開往關西，夜宿關西國校，次日又經竹東，北浦而至峨眉鄉，夜亦住國校，翌日行經山間，道路曲折而驚險，夜宿豐林山村，隔日至八角林改乘卡車至卓蘭鄉，依然借宿卓蘭國校，經數日車輛運輸又由卓蘭經東勢，豐原而抵臺中我們的新駐地—干城營房。此為永久建築，房屋高大寬敞而舒服，且地處市區，市設圖書館，交通方便，便於進修。

部隊在此進行「基地訓練」，我個人的目標則是利用餘暇準備投考政工幹校美術班，營基礎訓練完成，接著野外演習，每日馳騁山野田間，露餐野宿，風吹雨打，相當辛苦。

駐紮臺中期間，每天晚飯後，均有一段休閒活動時間，一般均用來逛街散步，但我却利用時間加入「育才英文打字班」學習英打，每月六十元，期能藉以消磨時間，也可學得一技之長，班中有幾位小姐同時在學，其中有一位頗具姿色，引起我的注意，一日臨下課前她站在我身傍看我打，遂仕手與之交談，問日「你在這兒學好久」？「十幾天而已」，臨別一笑她便回去了。

次日，我比她先到，沒多久看她穿一身粉紅色洋裝，更顯得艷麗奪目，一進門又是那麼一笑，顯出兩個酒渦，眞使人陶醉，不由得使我手指紊亂，不知在打些什麼，心蹦蹦地跳，似乎越跳越快，這種奇妙的感覺，使我有些不好意思，外表強作鎮定，打字間仍不時吸引著我的目光。以後天雨，延誤回家時間，又讓我多看她幾眼，雨止遂別。

在工作方面：兼任汽車軍官業務，工作較忙，調派車輛，配發油料，連絡支援部隊等，忙得不可開交，直到部隊演習出發後，才稍覺清閒。

四月十五日，十七週的基地訓練已告結束，即將告別這相處四個月的臺中市，著實有些依依不捨，因臺中風景優美，氣候溫和，地處市區，毗鄰公園，一切都很方便，可說是我來臺以來所住過最好的地方。

十四、調升連長

離開臺中，遷至臺北市三張犁舊坡口，此爲急造營房，木板牆，石棉瓦，位於山間，環境幽靜，空氣新鮮，風景優美，唯飲水困難，交通不便，如欲去臺北須步行廿分鐘至三張犁才有公車可乘，住定後將汽車業務交出。

民國四十三年五月一日，再度進入砲校接受爲期兩月的測量軍官班訓練，認識了劉廷祖（現爲駐巴拉圭大使）、田廷甫等，課餘一同去臺南娛樂。

受訓期間，部隊整編，被調爲六〇四營勤務連連長（九月一日晉升上尉）。測量隊所授課程多爲平時實作者，故不感困難，畢業時成績列爲第三，畢業後即將回部隊面對新職。

㈠、走馬上任

當我回到原部隊時，狀況完全改變，原住處已變爲指揮組了，個個面目生疏，耀山等已編到別營去了，且遷往六張犂，自離家從軍以來，我倆從未分開過，至今終於分開了，所留下的老同事僅張安民，邊樹藩及尋國棟等。此次係我初任連長，謹愼從事，竭誠以赴，以作日後其他職務之基礎，勤務連編制雖小，但五臟俱全，如人事、經理等……應有盡有，心想只要此連能帶得好，其他亦當毫無問題。

連爲軍中一個最小的行政單位，每日運作包括作戰、教育、生活等軍中活動的全部，故連長須樣樣顧及，時時注意，方能處理得當，另外特別注意的是要確實運用組織系統，層層節制，分層負責，如此才能發揮效能，欲達此目的必須注意天時、地利、人和，尤其人和更爲重要，欲求人和，必須坦誠相待。

七月十六日指揮官以車送我至新營地報到，正式走馬上任，經營長介紹安排好到連內去整理，經一段時間的觀察，給我的印象很好，連內幾位官長都很忠厚，戰士們亦很服從，使我信心大增，相信一定可以帶得好。當時前營長涂少章升任砲兵副指揮官，對我多方鼓勵，慰勉有加，曾勉勵我「要受別人受不了的氣，吃別人吃不了的苦」，我亦下定決心，確本此言，努力去幹，以不負涂先生的盛意。

由北師及女師組成的軍中服務隊七月廿九日來營服務，晚上舉辦晚會給官兵們帶來了歡樂，她們並找我簽名、閒談，使我寂寞的心得到不少安慰。可是當她們夜十一時離去後，使我有一種不同的感覺，好像她們將所帶來的溫暖，歡笑與希望全帶走了，而留下的只是些空虛，寂寞與回憶。

因我畫了一幅畫而引起了軍中服務隊張梓陵小姐的注意，她爲我留下了她家的住址，希望我寄畫給她，不過第一連金指導員對她很感興趣，隔天在友軍辦晚會時又遇梓陵，談了好久，她好像對我印象不錯，並向我索取照片。

(二)、初次約會

有一天我奉命赴彰化參加研習，梓陵很早便到臺北車站爲我送行，當七時許抵達車站時，即看到她身著白衫、黑裙，正向一位軍人在打聽，好像沒有得到滿意答覆，遂轉身向外便看到我，連聲說「來啦！來啦！」我很興奮地迎上去說：「妳來得好早」！「比你還早」她說，於是我倆相偕到車站對面一家豆漿店去吃早點，一直都在談笑，以後又至新公園去散步閒談。當我將一本中國之命運給她時，她看第一頁有我受訓時得第一名的題款，感到驚訝，並讚美道「你眞行」。快到八點她又將我送至車站，並約定週六再會，遂別。一路上她的影子始終浮現在我的腦海中，心想她給我帶來了歡笑，驅除我身旁的寂寞，但卻又使我陷入相思的煩惱。

三日講習很快結束，本擬乘十時車北上，但由於軍長點名及聚餐，故延至十二時半才可離隊北上，前天曾給梓陵一信，希望她到車站相會，一路上內心感到不安，唯恐她在車站久等，車至板橋心情就開始緊張，將隨身行李準備好，靜等下車去看她，我想她若有意，可能於四時等起直至我抵達爲止；不然亦可能等到五時。看不到我，可能於留言牌上寫下幾句，然後懷著悵然心情離去。當我下車後急忙在車站四下張望，沒有看到她的倩影，留言牌上也沒有她的筆跡，不禁使我失望，以後又想根本未給她講清楚，何況車又延誤兩小時，怎能怪她呢？

當我晚上回營後，聽說她的同學郭××下午來找我，不知何事？又引起我一陣遐想。

原來郭要告訴我說「張梓陵家中管束甚嚴，本週六不能赴約，可改至下週」，我聽後有些茫然，以後聽胡指導員說據郭透露，張梓陵對我非常傾慕，因相識不久，接觸機會不多，難以斷言。

昨晚夢到軍中服務隊學生寫信給我並寄糖菓來，我感到非常奇怪，那會有這等事，可是出乎意料的張及郭還有幾位今天果眞來了，還帶了幾張圖畫來，遂帶她們到我房中坐談，當時張給我一封信，因不便公開，於是我倆便到後面山上去，找到一塊清淨的樹蔭下坐著，邊看邊談，內容大意是說她對我有非常好感，願意和我交往，但是有限度的，也可以說僅限於友誼，不能對她抱過大希望，否則，將來會失望的，雙方都會痛苦，看了她這一段理智的陳述，不禁使我敬佩，勉表同意，可是不由得倆人就親密起來，她靠在我的身旁，倆人的手緊緊的握在一起，毫無顧忌的談著有關我倆的一切，不覺時間過得很快，看錶已過十二點多了，兩人才相偕下山午餐，以後又玩到五點才送她們回去。

經過這次的接觸，使我感到「情感」這個東西就像一把野火，我們應當小心的去處理它，不能放縱它，不然，火燄會隨風勢到處蔓延燃燒，如此不但會傷害別人，同時也會毀滅了自己，因此我們應當將自己的情感導入正軌，以免發生危險，更不該鑽牛角尖，同時我認爲「愛情」是具有完整性而不容分割的，假如遭到分割，則任何一方所得到的都不是快樂而是痛苦，甚至會造成遺憾或悲劇。

過了幾天，又接張寄來一信，說明週末未能赴約的原委及苦衷，並說她家庭管束加嚴，以後寫信需由郭小姐代轉，內附郭的住址。

當我寂寞時便欣賞音樂，讓我體會到音樂的重要，音樂可以說是人類性靈的呼聲，它能使你流淚、使你興奮、會使你快樂、也會使你悲愴，更能使你增加無比的力量，可是它最偉大的功效是能夠洗滌你靈魂上的污垢，醫治你情感上的創傷，同時給你心靈上蒙了一種奇妙的光彩，這光彩就變作了力量。所以我們必須了解音樂，尤其是當你失意的時候，只有音樂是最忠實，也最會慰藉你的伴侶。

十五、特殊任務

四十三年（一九五四）七月十五日，離開臺北，部隊調至苗栗，大平頂營區。此處地高風大，灰沙飛揚，甚苦。

離開臺北前以四百五十元購得一台眞空管收音機，以滿足我收聽英語教學之需；又可聽新聞、音樂、廣播劇等眞是方便不少，不但可獲得知識，亦可調劑生活，唯此地雜音太多，相互干擾，收聽起來很不理想。

當時我被砲指部聘爲隨營補習班，初中英文教官，可收教學相長之功。

當時服務的單位爲砲兵六〇四營，營長賴若陵四川人，同時的幾位連長：營部連爲夏範五，體格魁梧，第一連爲高祺是我們山西同鄉，第二連爲劉寅虎陝西人，第三連爲辛少傑湖北人，我爲勤務連連長。星期天我們稱爲「自由日」若無特別任務，常結伴在營區附近遊山玩水，或散步至苗栗市區看電影，聚餐等，相處融洽，解除不少寂寞。

營隊在平日除正常操課外，並舉辦各項競賽，本連有一次同時獲得三項優勝冠軍，即伙食競賽，軍紀競賽及壁報比賽，可見連內官兵精誠團結，努力工作的情形於一斑，本人亦不斷研習統御方法，以期能將部隊帶好。

統御要則：與被統御者之間須保持互相「尊敬」與「合作」精神。

統御十大要項：1.充分了解自己的一切，不斷自我激勵，自求進步。2.認清當前目標，3.對所屬不宜監督過嚴，4.瞭解並關心所有部下，5.身體力行，樹立良好模範，6.除了你自己以外，使所屬也能了解必須了解的狀況。7.培養合作精神，使成一個整體。8.適時下達適切的決心，9.不推諉，求發展。10.運用一己才能表現卓越領導。

四十四年四月十一日，捺到初次參加外語班考試結果的通知：「明年還有機會……」。預想著考取後的美景均成泡影，不過得到了一次寶貴的經驗，我不會就此中止，抱著繼續努力，「有志竟成」的心理。

七月三日突接緊急命令，限即日赴潭子擔任感訓隊警衛勤務，於是立即編組整裝出發，連我一共廿五員，乘火車南下，三時抵達，六時即完成任務交接，由於任務特殊，故告誡弟兄們時時提高警覺，以防止「被感訓人員」逃亡。

潭子住的是鐵皮頂營房，九時前尚好，若晴天以後就慢慢熱起來了，到中午簡直和蒸籠一樣，實在難以停留，只好出去到樹下乘涼，軍排球隊亦住於此，每天看他們練球亦一樂事，在此停廿日後交由一位排長來負責，我便去神崗回連隊去了。

「神崗」給我的印象是「荒僻」，飲水困難，如遇打水機故障，則飲用溝中濁水，實在危險。

我住的地方就在指揮部旁，有一天，副指揮官找我去研究英文，從發音開始，每日一小時，以後因喉痛，醫生給吃消炎片，結果發生過敏，嘴唇等敏感部位都潰爛了，眞痛苦，折騰了好幾天仍未見好，遂去軍衛生連住了幾天，同時遇到他們搬遷，以後又隨同至彰化八卦山下住了幾天，病情漸漸好轉，行動不受影響，遂散步至一家店舖看報，發現中共欲建三門峽水壩，令平陸、陝縣等地居民遷往東北的消息，不禁使我關心。

兩顆消炎片，害得我痛苦不堪，還住了十天院，總算結束了一場惡夢，又回部隊過正常生活，以後消災片可不能再吃了。

九月十日部隊又由神崗移防至頭份斗煥坪，此處營房新建，環境優美，水電都很方便，除永久營房外，這兒應算最好的了。

九月廿四日又搬到苗栗大坪頂了，練習實彈射擊，兩週後又回至斗煥斗，晚上至林小妹家請代補衣，她很客氣，堅不收費，同行友人遂成詩一首：「一針一線密密縫，無限情意在其中，如今不收補衣費，只因美人愛英雄」。

肆、池魚之殃

一、哲學教育

四十四年（一九五五）十月十五日得到我即將受訓的消息，於是使我尚未安定的心又浮動起來，十七日報到，廿日開訓，爲期四月，地點在陸軍官校，「受訓期間底缺保留，結業後仍復原職」，受訓重點爲「哲學教育」，於是次日幾位連長設宴爲我餞行，晚上全連加菜爲我送別，盛情感人。

十七日至鳳山灣子頭步校對面營房報到。次日，體檢一律理成小平頭，嫣然學生模樣，接著清掃環境、編隊，我爲49號編爲第二區隊，第五班第五名，正好在全隊的中央。

廿日正式開課，朝會時田總隊長說明受訓概要及學校組織，並介紹各級幹部，上午仍爲整理內務，打掃環境，下午基本教練，晚上政治部黃主任講話後才明瞭這次集訓的眞正原因，是受了孫立人案的牽連，原來匪諜郭庭亮策動孫立人發動兵諫，準備包圍總統府，而主要執行者爲孫立人所親自訓練出來的軍訓班幹部，因我也是軍訓班畢業，其實是由南京湯山砲校所代訓的，與孫立人無關，但也被調來受訓（洗腦），可說是遭受池魚之殃。不過在我來說倒覺輕鬆，因部隊責任擺脫了，受訓要求並不嚴，沒有緊張反覺愉快，接受入伍教育，晚上要站衛兵，體驗黃埔生活。

十月廿八日接到調職令，轉任砲指部上尉連絡官，調職原因，顯而易見，原先所講的「受訓期間底缺保留，畢業後仍復原職」顯然是騙人的話。不過自感閒適，並不在意。

本來入伍教育四週後才准許外出，不過我們都是勞苦功高，服務軍旅多年的老學生，所以特別破例兩週後即可放假外出，但在外出前的整理工作眞不勝其煩，如內務、環境的整理、個人服儀修飾，經各級嚴格檢查，合格方可過關，大家無不徹底執行，一向不擦皮鞋的人，今天皮鞋都發光，個個衣服筆挺，皮帶環金光閃閃，顯得十分神氣，容光煥發，充分表現出黃埔精神。

我們的開學典禮與蔣總統中正六九華誕同天舉行，由陸軍總司令黃杰上將主持，並說明召訓意義及今後責任，會後全體聚餐，接著晚會，十分熱烈。

此次受訓係將一年課程濃縮成四個月完成，故進度甚快，主要目的在闡述革命的人生觀，以「生命的意義在創造宇宙繼起之生命，生活的目的在促進全體人類之生活」爲準，並要明瞭「爲誰服務？爲全體人類服務，爲誰負責？替領袖負責；爲誰工作？爲全國人民工作。」

全期教育分兩階段：一般軍事學術科及反共抗俄鬥爭教育，受訓期間被選爲實習區隊附，洗衣代表等，並負責製作壁報。

二月八日舉行畢業典禮，由蔣中正總統親臨主持，高級將領雲集，記者群蜂湧，閱兵後即席致詞：「要發揚黃埔精神，繼承革命歷史，確守五大信念」，中午與我們會餐後離去。

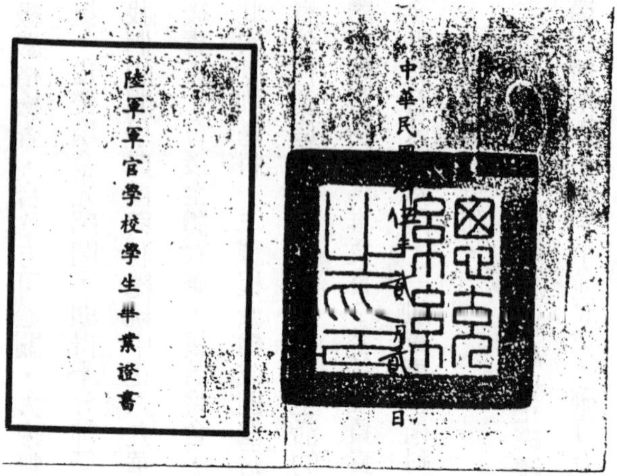

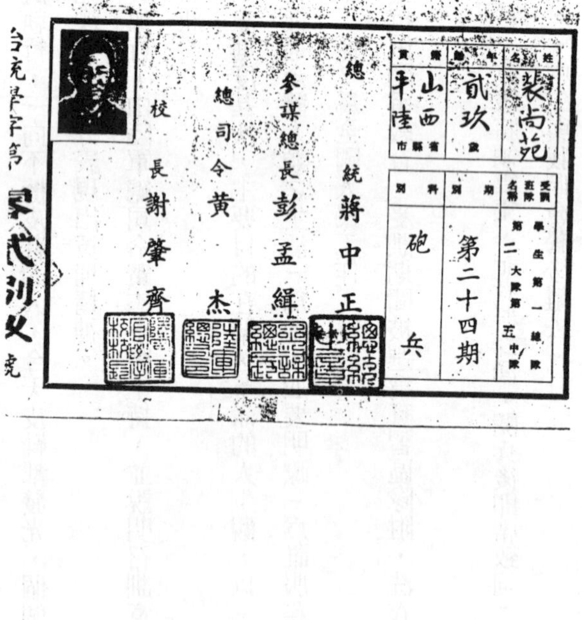

二、臺中戀情

四十五年（一九五六）二月廿三日至砲指部報到，協助參三承辦業務，自習時間較爲充裕，每天收聽英文廣播教學，現在又是個新單位，又認識了些新同事，當時指揮官爲王靜遠上校，參謀主任爲張之濤上校，對參謀盯得很緊，時常交辦過量工作並限期完成，故經常加夜班，常使大家有故意爲難之感，另外常伴我散步的有王勇吟、王潔志、毛井然等同事。

三月十四日，部隊由苗栗遷往田中內灣營房，實施基地訓練，營房位於山腳下，山色蒼翠，空氣新鮮，溪水清澈，便於洗滌。

高司演習時，軍砲指部火力協調中心設於臺中公園中正亭裡，連夜趕寫狀況判斷，意見具申，及各種計劃、下達命令等，日夜辛勞、睡眠不足。第二階段，進入潭子東寶國小，擬定砲兵運用計劃，反空降計劃，機動命令等。隔日情況解除，演習結束，又回田中內灣營房。接著實施連測驗，我任裁判，俟營測驗，軍砲兵測驗結束後，田中基地訓練即告完成，遂又遷往南投。

原指揮官王靜遠赴三軍大學受訓，新任指揮官劉震寰少將接任，由軍長親自佈達。軍校十二期砲科，美國高級班、參謀大學、本國陸軍大學畢業，曾任連、營長、金防部參謀長、總統府參議，其人儀表堂堂，個子高大，愛護部屬，實一青年將領。

我們的寢室是靠近廁所、廚房的一間，每天受異味及煤灰雙重襲擊，住在裡面的幾位小參謀，久而不堪其苦，但每天仍活躍得很。小楊（福利社縫衣小姐），小劉（撞球場老闆的女兒），倆個都長得不錯，她倆遂成爲我們每天談笑的對象，感謝她們給我們這群漂泊的心得到一些慰藉。

八月廿一日至臺北參加「戰術空軍協同作戰訓練」受訓廿四天。習得一些有關空軍的知識，尤其是聯合作戰方面的技術與方法，管理方面，一切自治，十分自由而合理，充分體會到陸、空軍的差異。

部隊又至林口，練習雙十國慶閱兵動作。當我移駐臺北準備預校時，曾至張梓陵以前住過的四維新村看了一下，鄰居有位中年婦人告訴我說「梓陵已搬至臺中一年多了，她已畢業，現在臺中某國小任教，家就住在大雅路五十三號」，我聽了很興奮，好像又看到了她，道謝而別，在龍安國小無意中遇到郭老師—張梓陵的同學。

十月十日，參加國慶閱兵大典，此為我第二次參與，同樣興奮、愉快。國慶校閱完畢，遂即同三組組長趕至臺中干城營房參加咸陽演習。

晚上無事，遂同韓輝少校出去散步，想試找張梓陵小姐，按圖索驥，結果終於找到她的住處，因夜已深不便冒然打擾，遂轉向附一所篤行國小，因韓曾在此住過，路線熟悉，不然還很不好找呢！心想這大概是上帝的巧妙安排，要我們重逢，進到教師辦公室，發現了她的座位，喜出望外，留了一張便條，興奮而返，準備改日再訪。

十月十八日，進入演習位置，東勢新社農校，夜宿帳蓬中，連日來實施黨政軍聯合演習，故地方上亦配合作業，以後向卓蘭、大湖方面推進，廿六日情況解除，演習結束又乘火車回臺中，然後又回南投駐地。

十一月初將參三業務交韓少校，又至臺中砲兵組擔任揚威演習裁判，藉機去篤行國小找張梓陵，四時半她尚未放學，看她在教室為學生改試卷，看起來好神氣，好像比以前漂亮了，我在門口站了一會，當她發現我時，眼睛為之一怔，我笑一笑，她便出來與我談話，因在上課不便多談，遂相約晚上八時在二中門前相會，屆時她果然來了，推著一台嶄新的腳踏車，遂二人相依，我一手替她推車，一手摟著她，向體育場走去，邊走邊談，然後在體育場一塊草地上坐下，她靠著我，我抱著她，坐了很久，有時靜默，有時歡笑，直到夜深才送她回去。得知她另有男友，一夜思潮起伏，未得安睡。

演習完畢，李副指揮官憲章說要我留在軍砲兵組服務，這當是我所希望而樂意的，因在這兒較單純，且環境好，最主要的原因應是與梓陵會面方便，另外讀書時間及機會也多些。

次日晚上與梓陵約會，結果她媽媽也來了，於是三人先去喝咖啡，我與陵同坐，其母面對而坐，相談甚久，然後又去看「那個不多情」影片，十一時送別而返，晚上又想了很多，沒有睡好。

隔天下午梓陵主動以電話與我相約，「晚上七時在公園門前等她」，屆時她準時赴約，於是二人相擁進入公園，找個清淨的地方坐下，二人相談甚歡，十時許送她回家，度過了一個甜蜜的晚上。

第二天晚上又約她去公園玩，路過她「紅姨」家代爲介紹，那天晚上又從七點談到十一點，其間曾談到婚姻大事，因她父親爲軍人，生活艱苦，深受其害，故不願她再嫁軍人，雖然我們的感情已達於高潮，不過她總是有所顧忌，我們始終保持純純的愛，深夜雙方依依而別，雇三輪車送她回家，並相約下週六再會。

隔天並沒有約會，但在房中心思重重，坐立不安，不由得又跑到她家門前，希望能不期而遇，意外得很，她眞的出來了。穿一件紫色大裙、白上衣、黑毛衣，手裡拿著一隻口琴，相見一笑，遂並肩散步，說她母親有意爲她介紹男友，設法使她與我疏遠，不覺又散步至體育場，坐在那兒，談了很久，唱歌，吹口琴，十時許送她回家。

次日，突然砲指部來電召我回南投，使我有些難過，這幾天給張梓陵弄得頭昏眼花，神魂顛倒，幾將發狂，是痛苦？是快樂，難以分辨。想不去會她，却又忘不掉她！

回到南投後，好像又掉進了痛苦的深淵，不時仍在思念著她：心想思念又有何用呢？不如轉化爲行動，遂決定每當想她時，就拿書來讀，一面可佔心，一面可促進學業，一旦有成，意義重大。

當天接到軍部公布的晉等考試成績，與試人員共48人，僅十九人及格，我爲其中之一，且成績最高，值得安慰。

三、外語學校

四十六年（一九五七）一月十八日，基地訓練結束，部隊又回南投，三月廿日請假赴臺北參

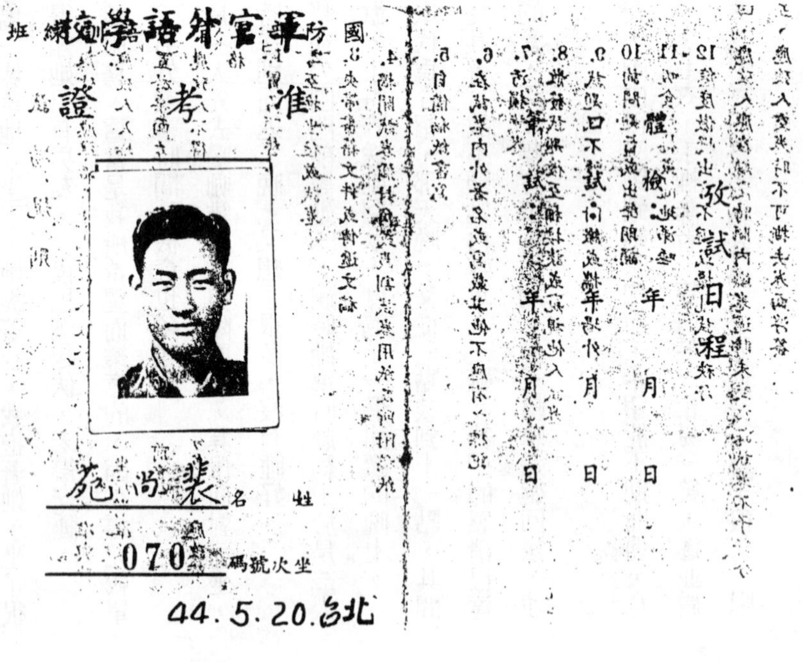

加軍官外語學校考試，第一天考國文、翻譯、政治。作文題爲「正風俗急於抑洪水」論，下午聽寫及英作文。一天考下來除政治及聽寫尚感滿意外，其他都不如意，考取的希望不大，次日考會話亦不理想，結束後即回南投，聽候消息。

四月八日，以電話與外語學校連絡，查詢考試結果，據說我考了一個「備取第四名」，是否能夠入學，要等廿日以後看報到情形而定，自認機會太少了，凡考取者絕不輕易放棄，何況我是備取第四名，那機會就更小了，不過也使我情緒激動，一個人跑到營房旁河堤上沉思，心想雖不中不遠矣，每日早讀晚讀總算得到了一點切實的成果，只要再接再厲，繼續努力下去，總會有成功的一天，同時使我信心倍增，也給我不少鼓勵。

當時所處環境，對我不利，尤其參謀主任張之濤好像見不得我讀書，處處爲難，有故意找麻煩的感覺，但指揮官劉震寰將軍，却很同情我，並不時給予鼓勵，要我將環境搞好，然後才能順利達到目的，並要我多揣摸人情世故，使我感激。「小不忍則亂大謀」，「讀書在暗地裡，不要給人看見，因爲人都會嫉妒別人的」。這大概就是張的心理，「讀書總比亂跑要好吧」，「穿軍服讀書並不算自私，並不是爲自己，仍是爲國家，若不穿軍服那讀書才是爲自己」，以上都是劉將軍的看法及鼓勵我的話，將銘感難忘，不久他便調至國防部第二廳任副廳長去了，以後我又有機會報考留美觀測班，也被張阻撓沒有報成，經過這幾次慘痛教訓，深深體會到作人的重要，決心今後要學作人，絕不再給自己爲難，不再作傻事，不再生氣，要有容人之量，逆來順受，努力奮鬥，律己宜嚴，責人宜寬，決心扭轉乾坤，改變環境，清除障礙，改變別人對我的看法。

十月廿九日由南投遷至北斗浦尾營房，此地風大天冷，營房附近沒有街市，只有一個福利社可購物，部隊至此接受基地訓練，我任裁判。

十一月廿七日赴花蓮接受核子防護訓練，藉機作環島旅行。於是南下至臺灣最南端枋寮，夜宿泉源旅社，次日清晨乘公路局車向臺東進發，因東部尚未去過，所以一路懷著新奇的心情，欣賞沿途風光；路途曲折，依山傍海，風景絕佳，歷五小時抵達臺東，市區觀光後夜宿軍人服務社。

次日上午九時五十分乘柴油車北上，一路沿山谷行駛，時而穿洞，時而過橋，有山有海，風景甚美，下午三時抵達花蓮，遂至化學兵學校報到。該校行政管理欠佳，報到茫無頭緒，摸索很久才辦好報到手續。

晚上睡覺床上有臭蟲，不得安睡，三餐伙食亦不好，每人每餐一小碗菜，質既欠佳，量亦不足，勉強維持生活。看樣子這一個月不太好受，授課內容偏重理化方面的基礎知識，亦為我所欠缺者，不過由於用心學習，成績尚屬不錯，每次考試後公布成績均為優等，不斷努力，結業時我的成績名列前茅。

四、金門砲戰

化校受訓返部後，得知已於去（四十六）年十二月調至六〇七營任作戰軍官，遂至營內報到，接著便隨同赴田中接受基地訓練，三週後又回南投。

民國四十七年（一九五八）七月十七日參謀總長突然下令「所有軍中人員停止休假」，顯示臺海風雲緊張。七月廿七日至彰中參加三民主義講習班，一週結業時，意外地又得到一個第一名。結業典禮時又領了一份獎品，並得到指揮官的召見嘉勉。

八月廿三日金門砲戰爆發，部隊進入備戰狀態，六〇七營奉命赴金門支援砲戰，故營內人事大變動，丁營長調陸總部服務，副營長劉嶽陶升營長，第三連連長張昭德升副營長，我仍任作戰軍官，隨營前往。九月十五日得知晉升少校。

九月卅日晚十一時自臺中與張梓陵話別後，返回南投營內，剛入睡沒多久，即被叫醒，說「準備出發」，遂即整理行裝，十一時五十分離開南投營房，先驅車至彰化火車站偵察，進入路線及上車位置，部隊凌晨三時半到達，遂即上車，因車站無坡道設施，車輛藉兩支跳板一輛輛慢慢上車，很費時，直至九時方全部上車，由彰化南下，因係戰備列車，一路暢通無阻，下午四時直達高雄港車站，夜宿前金國小及二中，一夜未眠，十分疲倦，遂即休息。

次日，於高雄港接收美援八吋榴彈砲及牽引車，並作數日陣前訓練，因八吋砲係初次使用，故需熟悉一番，計劃於十月七日分三波搶灘登陸金門島，時值中共宣稱自十月六日起停火一週，十月七日部隊至左營碼頭，作水上裝載及搶灘演習，夜宿於LCU296號登陸艇上，陸軍總司令及參謀總長高級官員都前來高雄慰問我們。

十月八日，下午二時奉命上船，三時開船離港，四時進入美之LSD大船艙內，比較平穩，五時許駛入大海，風浪較大，開始暈船、嘔吐，非常難過，艦上供應西餐亦無法享受，只好下到小艇上砲車內睡覺。

十月九日凌晨三時，小艇脫離大船，更加搖晃，不敢起來，迷糊中聽說「已脫離大船，進入緊急狀態」，此時唯恐中共射擊，幸運得很，我們七時順利地由料羅灣搶灘登上舉世矚目的金門島，度過了最危險的一刻，由人引導至臨時駐地—太武山下，已有工兵預先為我們作好了陣地，人員住在坑道內，全為岩石結構，十分堅固，也很安全，因係停火期間，外面車輛往返頻繁，日間到金門城走一趟，有不少商店，尙稱繁華。不過有不少居民準備赴臺灣避難，物價較貴，一碗大魯麵金門幣八元（臺幣與金門幣等值），當我們偵察陣地時，看到遍地彈痕，房屋被毀的斷垣殘壁，樹木多被攔腰截斷，可見當時砲戰的激烈，車輛夜間行駛不得開燈，充分體會到戰時氣氛。我們積極完成射擊準備，伺機給敵以猛烈反擊，指揮所由「東坑道」遷至「小徑坑道」，由於無通風設施，在其中停不到一小時就會令人發暈，故經常要走出坑洞口換氣，戰地生活非常不便，每天改吃兩餐。

十月廿日下午四時，當我們剛作完空中觀測射擊練習，想出洞口透透風，一出洞口即聽砲聲隆隆，意識到敵人向我們射擊了，遂即進洞指揮各連予以還擊，連續射擊，至七時方止，此為我們至金門後第一次參與砲戰，難免有些緊張，射擊期間曾聽到有幾發砲彈落在我們洞頂上，由於岩石堅固，毫無影響，砲戰停止後，電話不斷，查詢戰果，據報毀敵砲數門，觀測所幾處，我方無損傷。

次日，匪砲又向我射擊，我方亦予還擊，本營曾作準備，但未受命射擊，第三天敵又有零星射擊，下午三時奉命予敵以猛烈痛擊，五時止，發揮極大威力，摧毀敵砲八門，連日來雙方都有零星砲戰，並不激烈，中共十月廿五日宣布「雙日停火」，自十月廿三日以來即無激烈砲戰，金門自十月起即進入風季，每日風沙呼呼，實不好過，有空時仍不忘溫習英文，在金門遇到同鄉反共義士張迪生先生（原名訓蒙），他現在心戰總隊服務。

十一月三日十二時，中共砲兵又向我瘋狂射擊，甚爲猛烈，我們亦立即予以還擊，砲聲震天，不絕於耳，直至下午四時半方止，此爲我們至金門以來最猛烈一次砲戰，時間亦最長，射擊終止後，感到非常疲倦，遂即休息，十一月四日美國大選，昨日之射擊含有政治意味，五日雙方又互射一天，毀敵砲十餘門，七日又自上午十時開始射擊，直到下午四時半才結束，又持續一天，毀敵砲五門。

當時曾研製改良扇形尺，即將射擊計算尺圖解於扇形尺上，如此即可由一人指揮射擊，既省力又省時，擬經實地試驗成功，推廣應用，屆時尚可申請專利，亦爲我對砲兵一點貢獻。

十一月廿三日下午三時半，本營第一連第二砲被敵射中，火砲電路被毀，人員二死十一傷，甚感悲痛。廿四日上太武山頂觀測所參觀，以廿倍望遠鏡看敵人砲陣地，射口清晰可辨，前面一切瞭如指掌，更增加我對觀測員的信心。

當時營長有意任我爲三連連長，被我婉拒。

十二月四日，石覺將軍及顧問團長杜安來營參觀，軍友社記者等亦來慰勞並訪問，找我及兩位戰士錄音訪問。

四十八年元旦於金門戰地度過，雙方保持沉靜，沒有砲戰，因任務在身，不便各處走動，僅以電話互道「恭喜」。一月三日雙方又激烈砲戰一天，六時方停，一月七日又是一天全面猛烈砲擊，下午六時半全部停止。

無砲戰時，便至山頂讀書，每逢晴天視線良好，可看飛機起降，也可看到大海，以舒展心胸，呼吸新鮮空氣。

中共爲配合蘇俄頭目米高揚訪美，進行和平攻勢，故砲戰沉寂了一陣，縱然有砲擊，亦是零星幾發而已，我們不予理會。

一月廿四日舉行「朝陽演習」，即蔣總統中正至金門視察，下午至本營第一連第一砲去看，慰勉戰士，合照後離去，一月廿五日晨，發生一次海戰，據說有敵潛艇在活動，下午聽到廈門方向砲聲隆隆，據說對方實施演習，看來臺海情勢日趨緊張，戰爭有一觸即發之勢，我們不得不提高警覺。

陸軍獎章執照

0136號

陸軍第八六○七部隊營長裴尚苑 因

著有功績合依陸軍獎章頒授辦法規定給與甲種虎賁獎章一座合發執照以資證明

總統 蔣中正

行政院院長 陳誠

國防部部長 俞大維

中華民國 二十七日

監印 沈開運

金門一過春節，氣候變暖，每日清晨大霧瀰漫，雨水亦多，火砲掩體亦被水淹，故需加強排水設施。

在金門收到張梓陵小姐爲我寄來的廣播雜誌，希望我能回臺一遊，事實不太可能，不過已得到不少安慰。

五、留美考試

四十八年（一九五九）六月十九日，乘機返臺參加留美考試，夜宿臺北公館金防部招待所，廿五日體檢，一切ＯＫ，廿七日考試，廿八日去臺中訪梓陵未晤，遂赴溪湖探望表叔，七月一日又至臺中終於看到張小姐，次日，返回臺北，登記飛機準備回金門，七月四日又回到了戰地金門，駐地由山洞移至碉堡內，比較不潮濕，不過防護力不如山洞堅固，很幸運附近有幾棵樹，熱天可以乘涼。

七月廿四日得知上次的留美考試初試已經通過，非常高興，並積極準備參加複試。

第三次留美考試將於八月廿五日報名，八月廿六、七日體檢，八月廿八日考試，我可報考的班次爲「砲兵觀測班」，考試課目：國文15％、政治10％、英文35％、本科40％，赴臺考試前金防部須來一次初試，僅考英文口試25％、英作文40％、翻譯35％，八月廿日考試，我報名參加，但金防部主管人事人員說我已考取了，不必再參加初試。

八月廿八日，接到參加複試公文，預定十二月二日體檢，十二月十七日複試，「野戰砲兵軍官班」將於民國四十九年三月十六日開課，七月十二日結束，爲期四個月，所以我必須十一月底到達臺北，參加考試。

九月廿四日搭機返臺，參加陸總部舉辦的三日出國前禮儀講習，雙十節那天又回金門。

十一月廿八日，又赴臺北準備複試，十二月二日至第五十六野戰醫院作體檢，廿八日考試完畢，廿九日立即返回金門。民國四十九年二月八日得到消息，「考試沒有通過」，但我仍不灰心，積極準備下次再來。

二月一日又得到留美考試消息，爲彈道氣象班、砲兵測量軍官班，二月十日報名，金防部二月十八日初試，三月廿日體檢，四月七日筆試，四月九日口試，四月十六日放榜，我決定報考。

十八日上午至太武谷參加金防部所辦的英文初試，內容包括三部份：一爲英文作文，二爲中翻英，三爲英翻中，題目不難，我很快交卷，且感滿意，當可順利通過。

廿五日接到考試錄取公文，金門僅三名。

三月十四日陸總通知我的資格審查通過了，必須在廿日前抵達臺北應試。

三月廿日又接電話說，考試日期更改，口試：三月廿四日，筆試：三月廿六、廿七日。

次日，終於搭上飛往臺北班機，雖有霧但未雨，飛機飛行順利，上午九時廿分起飛，十一時抵達臺北松山機場。下午遂即至陸總部看初試錄取名單，共有卅九位考取氣象班。

三月廿二至第五十六醫院體檢，順利通過，廿三日領准考證，廿六日筆試，上午第一節爲軍事（本科），第二節英文包括聽寫、翻譯、文法、第三節爲國文，下午考數學、化學、物理、史地、政治。

四月四日放榜，我去看榜上有我的名字，非常高興；心想又過了一關。

四月八日，搭機返回金門駐地。

四月十二日又得到通知下月三日參加複試，本月十四日體檢，於是立即辦妥出境手續，登記飛機，十四日順利抵達臺北，遂去體檢，但據承辦人說「上次體檢結果仍然有效」，故不必再檢查了，晚上去YMCA英語會話班旁聽。

五月三日，參加口試，有三位美軍考試官，一位中校二位少校，我進去打個招呼後，測驗即開始，首先由中校問我叫什麼名字，其次問我的職務，最後問我赴美前做些什麼準備，以後一位少校要我讀一段「野戰教範」，我答對了所有的問題，當我第二天再去參加另一場口試時，連絡官說，你昨天的口試已通過了，不必再參加今天的口試了。我聽了後非常高興，心想終於成功了，辛苦多年總算達到目的，美夢成眞，興奮之情，不言而喻。於是登記飛機，準備回金門並作赴美前的準備，離臺前曾赴陸總部打聽出國消息。據承辦連絡官說，要我在五月廿日前寫兩份自傳及經歷給他。

五月十一日又回到金門，並看到要寄自傳的公文，並要金防部司令官作保，五月卅一日又到臺北，接受出國前講習，共有卅一人參加，介紹美國現況及日常生活情形，節省的人每月只需七十元生活費已足，另有僑情介紹等，當講習結束，我又去問開學日期，結果有位黃中校說「改至十月份開學」，頓時使我感到十分不快，希望不要成爲事實。

在等待開學期間，一直都住在金門外島服務處，早上聽英語教學廣播節目，日間在室內讀書或訪友，晚上至天主堂參加英語會話班。

六、收之桑榆

當我在臺北等待出國消息心情最低潮之際，大概受到老天爺的同情，差遣月老牽線、土地公的撮合，使我在一個極富羅曼蒂克的情況下，無意間發現一位妙齡小姐，她看我，我看她，好像各具吸引力，就這樣很自然地認識了。以後即開始約會，得知她叫顏淑玉，名字很文雅好聽，個子高䠷，身材窈窕，皮膚細白，不時散發出一股香味，交談中看她性情溫和，堅毅理智，很多觀點與我相同，給我留下很好印象，希望能跟她繼續交往，進而能成爲我理想的對象。

自從和她約會後，晚上回去翻來覆去，始終難以入睡，她的影子不時出現在腦海中，此時感受不知是苦是甜。

有一天，相約外出，在公館零南車站相會，她身穿一件白色絲織高領帶花邊上衣，一件大花黑底寬裙，足登一雙白色平底皮鞋，手中拿著一個黑色小皮包，面部經過一番化妝，顯得格外漂亮大方，經協商後決定去兒童樂園玩，遂乘公車前往，因無座位，兩人併肩而立，相依相偎，使我有飄飄欲仙之感。到達後，購票入園，先隨便走一圈，手牽手，十分親密，以後同坐太空列車，迴轉塔，最後進入迷陣，在裡面轉了好久才找到出口，出來又在水邊坐談好久，午夜方歸，結束了愉快的一天。

當我考慮是否要回金門時，忽然於七月十一日接到營長自金門來信，要我到潭子報到，並負責交接及督導前站人員，這個使我困擾的去留問題遂迎刃而解。

當我將要離臺北赴潭子的消息告訴她時，顯得有些傷感，但互贈戒指以訂終身。當我們去遊烏來時，遇到她同學的妹妹，在一家冰果店裡，與她們坐在前後桌，她們不時回頭看著我倆，並給淑玉以臺語說「這郎假水」她以爲我聽不懂，此時淑玉顯出得意的樣子，並向她們謙虛幾句，我們以後在瀑布前合影留念。

七月十六日當我赴潭子時，她曾至臺北火車站爲我送行，我在車內，她在窗前，兩眼含情默默凝視著我，眞使我不敢看她。車起動後，她搖動手帕，我亦揮手致意，此時四目相對，視線被慢慢拉長，直到看不見她，我才將頭從窗口收回，依坐閉目相思。

初至潭子營房感到有些生疏，這兒最大缺點是太熱、缺水，潭子至臺中乘公車需卅分鐘，在此期間除雙方書信往還，互寄相思外，並數度赴臺北與淑玉相會，感情與日俱增，她帶我到她家與其父母見面，當她來臺中時亦帶她去溪湖表叔家住了一天，想聽聽他們的意見，但此時我倆已是難分難離，別人已無法影響我們了。

部隊於十一月二日由潭子進入北斗基地，接受二月訓練。

十一月十三日到臺北去她家談到訂婚事，他們家人同意了。

民國五十年元月二日，到臺北外語學校，打聽出國消息，聽老同事楊敬修說「你考的那個班次給取消了」，聽了使我楞了半天，猶如一盆冷水從頭澆下，實在有說不出的難過，心想辛苦多年，經過重重難關，好不容易得到這次機會，竟然是如此結果，爲了證實曾至陸總部顧問組查詢，經承辦人翻公文證實取消無誤。次日，又到陸總部查詢，亦同樣結果，本可轉考別班，但又限尉級軍官，我當時已升少校，只好自認倒楣了。有人躭心我的婚姻可能會受影響，但事實證明並非如他們所想像的那樣，我們的愛情是經得起考驗的，於是決定二月廿六日訂婚，三月廿六日結婚，終身大事總算底定。使我有「失之東隅收之桑榆」之感。

重要日期決定後，遂即著手籌集訂婚費用，除善亭叔支援外，其他同鄉如范居泰、李耀濱、荊耀山、程德明、羅振中等各中援手，就這樣湊足了所需費用。於二月廿六日如期依古禮於淑玉老家完成訂婚儀式。

接著又要張羅結婚事宜，如訂酒席、印喜帖，決定在臺中市鹿鳴春餐廳請客、租新居、購家具等。房子找了好久才算找到一家，拜托當地里長說情才肯答應，並要求寫個字據，議定暫租四個月，每月租八十元，押金一千元，電費由房東出，因該屋並無電燈，需自行裝接，水是用田溝裡經簡單過濾的水，所以不必付費，不管怎樣總算有個住的地方，房東住在正房堂屋，由磚瓦建造古式建築，我們租的是右手邊一間廂房，爲鐵皮頂，土牆，其中分兩小間，一間作客廳兼廚房，一間爲臥室，其中有一土炕，臥室後面爲豬舍，窗戶一開，異味即入，故不敢開窗，對面廂房爲養牛處所，幸好院子很大，相距較遠，沒有影響。

房子決定後，由營內幾個弟兄們幫忙清掃、粉刷，然後把簡單的家具搬進去，並布置一番，廿四日完成一切準備，廿五日同幾位同事至臺北迎接新娘，租了兩部汽車，先至淑玉老家舉行一個簡單隆重的祭祖儀式後，至臺北車站乘下午二時卅分柴特快車南下，下午五時許抵達臺中，夜宿明山旅社，隨同去的有岳母，大姨妹及伴娘劉光華小姐。

連續下了幾天雨，廿六日突然放晴，大家都爲我祝賀，齊說這象徵我們的婚姻幸福美滿，眞是一個好的兆頭，我當然滿懷歡喜。十一時乘喜車由旅社經復興路、台中路、中正路至中國照相館拍攝結婚紀念照，然後經自由路至鹿鳴春餐廳舉行婚禮。本請砲兵指揮官福證，但他因公不克出席，於是副指揮官代理，他致辭時除一般客套祝福話外，令我印象最深刻的一句話是「我眞佩服顏小姐有勇氣與決心嫁給軍人」，的確當時一般小姐都視嫁給軍人爲畏途。行禮如儀後即行宴客，下午二時許結束，完成我的終身大事。

七、家庭生活

從民國五十年起，我已卅五歲才算是眞正有了家庭生活，那應是艱苦而甜蜜的，從第一天起開始學作家事，慢慢適應家庭生活，淑玉起初確實有些不適應。因買不到米，每天煮麵條吃，以後試蒸饅頭，作包子，尙稱成功。

淑玉爲了排除寂寞故由閣宜禮太太介紹，一齊到臺中去學編織繡花，可增加收入，幾天後即可帶回家作，不失爲一種副業。不久淑玉便懷孕了。

八月廿日我們部隊又將進田中基地，故淑玉便回臺北岳家去待產了，前後在臺中軍功一共住了五個月。年底接信得知淑玉在臺北第一總院生了一個女孩，當時我正在田中基地，接信後說「母女平安」我才放心，遂立即請假北上照顧，在醫院陪伴她幾天，並爲嬰兒報戶口，命名文玲，她很像我，尤其是眼睛，三千多公克，非常健康，活潑可愛。

基地訓練結束，六〇七砲兵營同時離開第十軍砲指部，改隸第一軍團，暫配屬於第二軍，於是又遷往中壢雙連坡營房，與第二軍砲指部一起，荊耀山也在那邊，並在營房旁蓋好自己的房子，我的家具暫放在他那兒。

聽說部隊將去外島，於是計畫在岳家旁空地上蓋房子以便安家，於過年前終於以木架和油毛氈頂，完成一間小屋，面積不及十坪，除隔一間臥室放一張雙人床外，另有一間小客廳，放兩個小沙發及一個小茶几。因空間小一切用具都選小號的，不管怎樣總算有了自己的小窩。

結婚不到一年，部隊於民國五十一年一月六日又南下至高雄，乘二一七號登陸艇再度開往金門，一路暈船，十分難過，只好躺著熬到金門，直到八日下午四時才上岸，此次來沒有像上次那麼緊張，我爲先遣人員，負責接收工作，晚上受到中共宣傳彈的干擾，清晨找宣傳單並未發現，却看到幾顆彈殼，爲一五二彈底拋出型，浸澈力甚強，有些碉堡不夠堅固，無法承受。

部隊於廿八日全部到達金門，新營長爲楊建培中校，人事官說我去砲校高級班受訓已無問題，三月初開學，但我於二月十六日便由金門返臺了，在家待了幾天，三月二日去臺南砲校高級班51期報到，三月五日正式開課，入學測驗，我成績最優名列第一，於是希望畢業仍能保持第一，受訓期間每週由臺南趕回臺北，一趟要坐十個小時火車，也夠辛苦的了，在家只待幾個小時，回程又得坐十個小時火車，本想將家搬至臺南，但因種種因素未果。

每次考試完畢，都公布成績，大家爭相圍觀，我與江寵同學的成績遙遙領先，二人競爭激烈，引起同學們的注意，經過九個月馬拉松式的競賽，我終於勝利了，獲得畢業成績第一名，江寵第二，其他人成績相去甚遠，故只取前兩名。畢業典禮時，由陸軍總司令劉安祺上將主持頒獎，南部將領雲集，我感到十分光榮。十一月廿四畢業，回家休息了幾天。於十二月七日又返回金門防地，當時因久任一職且思家心切，急欲調動，到處設法找人幫忙，結果卻被前同事夏○○耍了一招，騙我說陸供部有缺，同意我去，不過

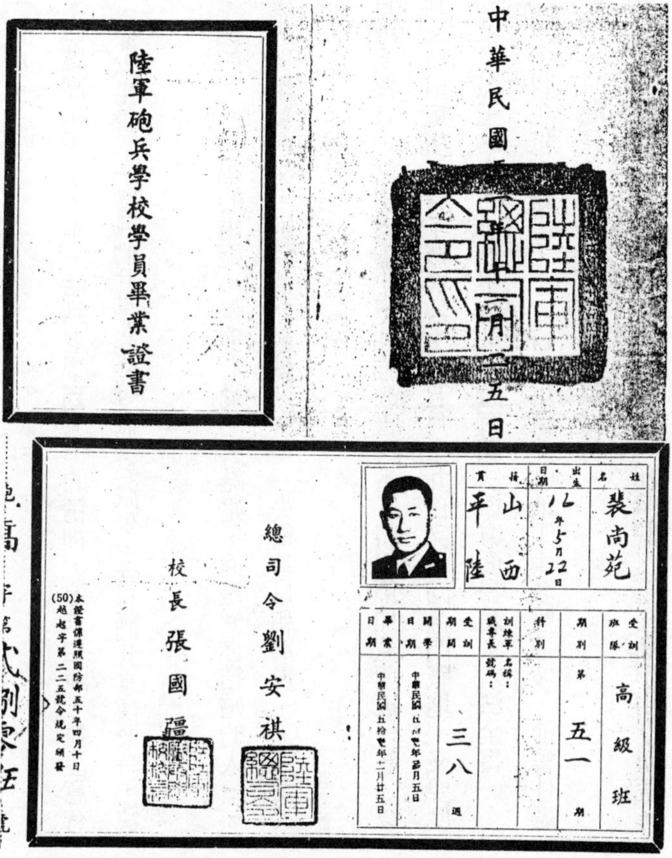

承辦人要請客，於是拿錢給他請其處理，我返金後每日苦候徵調同意書，久等不著，方知受騙，眞是人心叵測，不過也使我徹底認識一個人。

在金門期間，參加隨營補習，研讀高中課本，本「活到老學到老」的精神，追求知識，並注意有關家庭生活及夫婦相處之道的文章，愛默生說：「當我們共享悲哀時，悲哀減少；當我們共享快樂時，快樂增加」，深有同感。

另外亦以多句名言自我勉勵，例如：「幸福的婚姻不是與心愛的人結婚，而是愛你結婚的人」，「嫉妒與懷疑乃愛情之附屬品，嫉妒與懷疑愈深，則愛情亦愈熱烈」，「夫婦首以和爲貴」，「女人嫁給愛她的人，勝於嫁給她所愛的人」……等。

民國五十二年，四月二十九日返臺探眷，又將自蓋小屋加強改善一番，將屋頂加蓋薄板一層，以免太熱，在家待了廿天，正好遇到文玲出痲疹，看了幾次醫生，五月十九日又重回金門戰地，又要度過寂寞的生活，唯一能讓我開懷的就是淑玉的來信，無事時則研讀有關法律方面書籍—六法全書。

八月十四日部隊移防離金返臺，次日午抵高雄港，十六日上午抵達駐地—中壢雙連坡，前曾住過此地，沒有太大改變，仍爲鐵皮屋頂，日間甚熱，晚上回臺北探望妻女。

九月一日參加普通考試，自感軍中已無發展機會，只好另覓出路，利用假日至後面小山上墾荒，準備種菜，另在院子裡養雞以增加生產。

自金門返臺後，即申請調職，以求安定，十一月十六日終於接到調職令，調至砲指部參二服務，二十二日前往報到，隨即又聽到一驚人消息，「砲指部不久又將外調」，不禁使我有些錯愕，命運怎麼會如此安排？以致心情紛亂，遂向指揮官（劉自浩）報告請其設法，他說「正在處理中」，後被調爲「部屬軍官」，心想距退役又接近了一步。

十二月九日離開砲指部至新竹關東橋軍部砲兵組報到，調職事總算有一個結果，在那兒遇到老同事王勇吟，此處稍感安定，當時開放申請退役，所以曾考慮是否要辦退役，每週新竹、臺北奔波，仍非常久之計。

民國五十三年二月二日，下午二時十五分，淑玉於臺北市廣州街國軍第一總醫院附屬軍眷醫院生下一個男孩，小孩哭聲宏亮，正好當時發生一場地震，後命名爲裴文正。

八月十四日，因軍事會議決定各單位要加強研究發展，於是我被調至軍部研究室服務，十月八日又接通知，派至十七師服務，於是離開住了十一個月的新竹平埔營房，到臺北六張犁師部報到，隨即又被分配至砲指部，最後派至廿八營代理作戰軍官職務。該營營長爲同鄉陳偉中校，方便不少，早想脫離野戰部隊，期求安定生活，今又分至野戰部隊，事與願違，遂又請求改派，俟部隊至臺南二王營房，參加過師砲兵測驗後，經多方奔走，層層轉報，終於接到調職命令，被調至中正理工學院服務，十二月一日生效，使我喜出望外，終於脫離了服務多年的野戰部隊。

八、理工學院

五十三年十二月廿一日，正式至中正理工學院報到，開始我第一天的上下班生活。當時中正理工學院，位於臺北市新生南路，報到後被派至行政處行政科服務。首先張森林科長帶我去見副處長及各科科長，然後指定給我個辦公桌，並接辦公文，負責公文管制及查詢業務。我便開始認識環境，了解狀況，當時科內有六位軍官（姚雲駿先生爲其中之一），八名士官，另有幾位雇員及四位女性打字員，負責全院公文保管及文書處理業務。

在此採上下班制，每日上午八時上班，下午五時下班，中午亦可外出，因距家近，騎自行車，幾分鐘便到，十分方便，可以充分照顧家庭。自從軍以來，尚未享受過如此方式的生活，與野戰部隊相比，眞有天壤之別，所以我甚感滿意。晚上無事，想讀臺大夜間部，但無畢業證書，難以如願，遂參加國防部所辦的國軍隨營補習班，且有交通車直達公館，十分方便，爲了複習，希能打好基礎，自高二讀起，希望順利完成，獲得有效證件，進而完成高等教育，以償宿願。

在工作方面，因有創意，曾獲院長嘉許，又因帶領讀訓，口齒清晰十分流暢而獲好評，甚感安慰。薪資菲薄，不敷家用，經常捉襟見肘，不得已只好向人賒欠、或借支、或典當，甚至拔野菜回來佐餐，可謂苦矣。

在隨營補習方面，非常用心，公餘一有空即溫習功課或作練習，引起授課老師注意。有一次，上英文課時，隨堂測驗，當老師看到我時便說「裴尚苑，給我的印象很深，你考得很好」，我聽了說聲「謝謝」！感到非常安慰。

十一月十九日，接到改派至政戰二科服務，回顧在行政科服務十一個月，尙屬不錯，由於自己的盡心，多獲好評，臨別不無依依。廿九日正式至政二科上班，接辦福利業務，負責福利站配售工作，因係初創，一切均需摸索，配發點券有些繁瑣，配貨也很麻煩，售貨也怕出錯，結果第一次結賬，少了一千多元，不知錯在那兒，再三追查才發現是由於售貨員登記錯誤所致。

民國五十五年二月十日（農曆一月廿一日）（星期四）上午九時卅六分文德出生於臺北市軍眷醫院，兩男一女，我感到非常理想，決定不再生了。

爲了改善居住環境，在後面靠牆處另蓋一間小屋，砌牆、鋪地，除請一位泥水工外，其餘均由自己動手，幾天下來，不但十分疲倦，且兩手已弄得七瘡八孔，十指及手掌均已痲木，好像剝了一層皮，痛苦不堪。

七月一日，淑玉至理工學院福利站服務，接辦郵政業務。

上級有令部屬軍官服勤滿三年者必須辦理退役，本想再延兩年便可享受終身俸，如此恐難如願。隨營補習課程全部結束，晚上在家利用時間整理房屋，改成店面，自釘貨架，準備開店作生意，以作退役打算，同時至師大夜間部英語系旁聽。

爲了淑玉能在家照顧三個小孩，且能增加收入，當門前鐵路拆除改爲公路後，即籌畫開店作生意，於民國五十六年一月廿二日，「常樂商店」終於開張了，爲紀念故鄉常樂鎮故以「常樂」爲名，且寓有知足常樂之意，店中經營糖菓、餅乾及日用雜貨等商品。

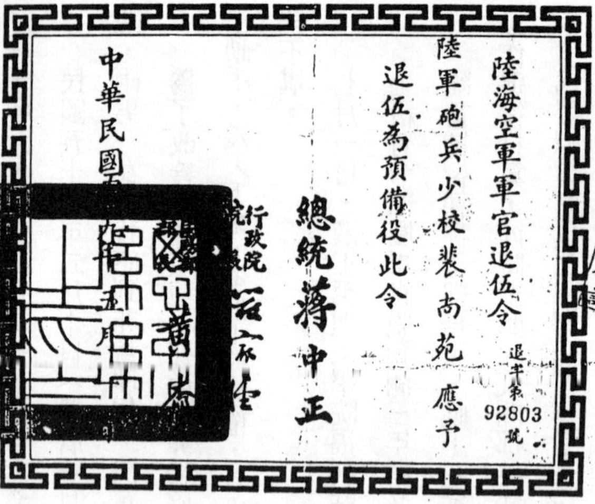

陸海空軍軍官退伍令

退字第 92803 號

陸軍砲兵少校裴尚苑應予
退伍為預備役此令

總統蔣中正

行政院院長嚴家淦

國防部部長黃杰

中華民國

(55)補習教育字第(高)中字第 391 號

同等學力證明書

裴尚苑係山西省平陸縣人中華民國拾陸年伍月貳拾貳日生參加國軍隨營補習教育五十五年度高中畢業考試成績及格依國軍隨營補習教育實施辦法第七條規定給予同等學力證明書此證

廳長潘振球

上將主任 [illegible]

中華民國五十四年十二月三十一日

伍、重新出發

一、申請退役

五十六年（一九六七）一月底，將福利站業務交出，準備退役，並參加特種考試。二月底將退役申請表填好交去後，就等待命令發布了，廿年六個月另廿天的軍旅生活即將結束，於是不得不另謀出路。以求生存，每日看報紙找工作，晚上去師大旁聽，並準備考國文專修班。三月廿五日拿到退伍令，四月卅日生效，五月一日起開始我的新生活，亦即第二階段奮鬥的開始，我辦的是假退役，每月尚可領八成薪，比全薪少一百七十二元，而所經營的小生意，每月盈餘當可彌補，故不須心慌另找工作，而可全心準備考學校，於是到牯嶺街買舊課本回來溫習。

到臺中去辦眷舍進住手續時，得知張梓陵小姐已結婚，隨夫赴法國去了，我倆的交往到此將告一段落。

我的眷舍分配在臺中貿易三村三號丁舍，係由同事胡靖仁轉配給我的，在他未配新舍前仍想暫住該處，但爲眷管處所不許，他只好依規遷出，我無法立即進住，可保留兩個月。

四月廿五日特種考試及格。申請香煙攤販執照獲准了，店中又可增加營業項目。

二、投考大學

六月十五日至師大「五十六年大專聯考臺北二考區報名處」，報名投考大學，七月十日，帶著流行性感冒後尙未十分復原的身軀，去參加大專聯考，第一天考國文、數學、中外歷史。次日，因受「格列拉颱風」影響，考試順延一天；正好可利用時間再充實一下。第二天，考英文、三民主義、中外地理。考完後感覺三民主義考得最爲滿意。能否考取，八月中旬便可揭曉。

當年七月中幾個小孩都在生病，花了不少醫藥費，文德當時才一歲多，並還送至三軍總院打點滴，爲他補充營養，所幸第二天便好了。

八月十五日大專聯考放榜」，我考中了，被分到私立淡江文理學院西洋文學系法文組，本想就讀，因此特地到該校參觀兩次，實際體驗，感到實在太遠，且經詢問後，才知一學期學雜費竟要三千八百餘元，當時我已是五口之家，實在無力負擔，只好放棄，於是決定報考夜間部，希望以半工半讀方式完成個人接受高等教育的願望。

八月廿六日又參加夜間部大專聯考，考場仍在師大，情形與日間部考試差不多，九月十日又參加了輔導會所委辦的國文專修班，參加者五百餘人，有些人認爲縱然考取，就待遇來說，尙不及現在假退役拿的多，且規定若考取如無正當理由，非去就讀不可，所以有人中途放棄，但我還是考了。

九月廿三日，夜間部聯招放榜，從報紙上看到我考取了師大國文系，名列第七，於是決心就讀。

三、半工半讀

自考取學校後，每天在報紙上人事欄找工作，有一天發現救總職訓所徵男工，不限任何條件，遂去應徵，原來是釘做外銷女用手提包，按件計酬，每作成一件工資二元，據說熟練工人每天可作廿個，如此便有四十元收入，我不希望多作，每天能作十個，一月亦有五、六百元收入，學費便不成問題，遂決定報名，隔日即可開始。第一天，一直未休息只作了四個，賺了八元台幣，已作得手痛背酸，感到賺錢眞不容易。幾天後，改作建築水泥工，初去僅手執竹竿疏通水泥，從早上七時起直至晚上九時半，整整十四個多小時，作著同一單調的工作，站得兩腿發酸，手臂疼痛，眞是辛苦，但到散工時，我領到了九十元工資，遠多出原先所料，不禁滿心喜歡，一天辛勞也就一掃而空，感到比作手提包好多了。

十月三日下午至師大辦理報到，次日接受入學訓練：校長孫亢曾先生首先講師大宗旨在「研究高深學問，培養優良師資」；夜間部主任侯健先生講「爲師之樂」；接著各處分別報告有關事項，他們都爲我們能進入師大而道賀，並強調日夜間部一視同仁，沒有差別，千萬別自暴自棄，今後全看各人的學業表現。兩天的新生入學訓練結束後，已使我對師大有概略認識，回來時，在校門口看到輔導會委託師大辦的國文專修班榜單，我也被錄取了，兩相衡量之下，決心讀師大夜間部。第一學期註冊費一五五〇元，輔導會補助七〇〇元，十月九日夜正式開課。

十二月九日又去附近一家「裕大醬園」應徵送貨員，老闆亦爲退伍軍人，且同爲舟山群島戰友，有些親切，要我明日即去試試看，言定月薪七五〇元，供膳宿。第一天去上班，不會騎三輪板車，差一點出車禍哩！第二天老闆要我同另外一位姓曹的去推銷，不需騎板車，我樂意試一試，遂同老曹騎自行車去永和推銷，在一處住宅區，挨家遍戶的問「太太！你早呀！要不要醬油，我給你介紹一種眞正黃豆釀造的豆瓣醬油」，大部份都說「不要！不要！」，隨即「碰」一聲，門就關上了，有些竟以不友善的態度及眼光對待，更糟的還有人抱怨說「你這個推銷員，這麼早就來吵人，眞煩！」接著門又是「砰然」一聲！我們只好苦笑離去，一個上午的見習已深深體會到推銷員的滋味了。下午單獨作業，成績還不錯，不一會兒即找到三家，然後回去交差。

五十七年一月六日師大邱燮友老師要我代他抄寫論文，於是辭去不到一個月的推銷醬油工作，共得工資三百四十元，專心抄寫論文。寫一張稿紙約半小時，同時要準備期末考，所以一天寫不了幾張。學期結束時，邱老師給我一本資料，要我利用寒假來寫，並給我一千元繕寫費，可謂優厚。

四月十日爲邱老師繕寫的論文全部完成，拿去交給老師，他又交給我五百元，前後一千五百元，我花了三個月的時間，平均每月五百元，相當不錯。

晚上去上課，看到上學期前三名公布了，李桂蓮第一，裴尙苑第二，鄒惠櫻第三，第二名可領奬學金四百元。

學期結束前，同學們選我爲下學年度級長，自感是一份榮譽，亦表示同學們對我的人品有所認同。

暑假期間參加工讀服務，至國稅局整理稅捐資料卡，每月六百元，但未作幾天，爲了準備高考，放棄工讀。

九月卅日第二學年上學期又開始上課了，同時看到上學期的成績已公布了，我爲第三名，比第一學期退步了一名，可得獎學金三百元，仍是不無小補。

五十八年四、五月間，喉嚨經常疼痛，懷疑爲喉癌，因之精神萎靡不振，雖經醫證明並非不治之症，僅喉頭發炎，但久久未癒故仍不能釋疑，因之意志消沉，無心爭取優良成績，得過且過只求及格。看了好多醫生都未見效，最後還是由王老得醫師給看好的，他說「由於太累所致」，我想有道理，因當時不僅親自動手蓋房子，粉刷牆壁，騎車送空瓶配酒，回來看店，還要準備考試，的確太辛苦了，加之睡眠不足，日積月累，造成喉痛，久治不癒，日後只要放輕鬆些，即可不醫自癒了。

(五六)特國行技字第834號

考試院特種考試及格證書

裴尚苑民國拾陸年伍月貳拾貳日出生男性山西省平陸縣人應五十六年特種考試國防部行政及技術人員考試丙等考試普通行政人員考試經典試委員會評定中等及格依考試法第十三條規定合行發給及格證書此證

院長 孫科

典試委員長 盧毓駿

考選部部長 李壽雍

印花自貼

監印 胡融
校對 吳子林

中華民國五十七年 月 八 日

四、房事困擾

民國五十八年六月十日，聽說電力公司要求「拆屋還地」，公文已到外島服務處，因該處土地亦屬電力公司所有，前面一連幾家都要拆。頓時使我有些茫然，漸漸一股難以抑制的悲痛之情湧上心頭，心想一磚一瓦，一竹一木，無不是自己親手經營建造的，且經過七、八年來不斷的陸續改善，到目前總算像個樣子，勉強可住，眼看將要遭受拆除命運，怎能不令人傷心呢！最使我躭心的是一旦房屋被拆不但賴以維生的生意作不成，一家五口不知何處棲身，生活亦將立即陷入絕境，悲慘情境令人難以想像。又想到自己沒有一棟合法房屋，眞傷腦筋，於是下定決心，樹立目標，設法要購買一間店舖或住宅，以徹底解決住的問題。

七月三日接電力來函要求「拆屋還地」，並限於七月底前拆除，一時不知所措，於是去函「請求緩拆」，並面見台電經理，經過數日奔波，多方求援，終獲台電「同意暫緩拆除」，方稍安心。但以後台電還是告到法院去了，於是爲了房子事，又是到處奔走，如營產管理所，輔導會等處，不知跑了好多次，最後還是無濟於事，白跑一陣，以後由法院判決罰金兩百元了事，總算暫告一段落。

民國五十九年三月間，爲了改辦正退，究竟是接受輔導就業，小本貸款或維持現狀繼續領生活補助費？猶豫不決，反反覆覆，最後總算作了一個正確的選擇—繼續支領生活補助費。四月卅日至團管區辦理正退手續，領保險金五萬二千元，加士兵年資及獎章獎金共五萬六千餘元，隨即存入臺灣銀行，支領生活補助費，恢復平民身份。

五、學府上班

八月二日，自報上看到羅斯福路三段有人徵導師，猜想可能是學府補習班，因距家很近，便想去看看，依址找去，果為學府，立即報名應徵，心想若能錄取，不但目前可增加收入，且可為以後舖路，當時上午九時已有十多人在應徵，以後陸續增加，竟達七八十人之多，首須經過三關口試，有幸均順利通過，並約定六日下午七時複試。過程順利，三日後接到錄取通知，並限次日前往報到，心想總算找到一份較適合的工作。

當時一共錄取十六位，原中正理工學院一位同事楊永剛先生亦為其中之一。報到後聽取班況報告及規定事項，方知該班為一升大學補習班，地點在臺大對面，班主任為一年青小伙子，名叫廖保棟，與幾位年青人合夥創辦，當時聲譽不錯，班務鼎盛，一期可收近千名學生且學費為各補習班之冠，深得一般人認為「貴就是好」的心理，故收入頗豐。

八月十日後陸續開班，我也接了一班，任乙丁組第三班導師，負責點名、核對學生證、分發講義、上課時坐在教室後面，維持秩序，整理資料等工作。

民國六十年四月間，想與人合夥開補習班，但無資本，致無法實現。

學府補習班由於財務處理不當，漸漸產生一些不正常現象，例如老師經常缺課，最後主要幹部請辭，於是班主任要王天健先生及我擔任教務工作。但大老闆許培基與二老闆廖保棟鬧意見：許要自己找教務主任，據說是一位副教授，於是在我作了不到廿天的教務工作後又要調我擔任總導師職務，而王天健任助理教務，不久王辭職，自己去萬華開補習班。

三月間，學府補習班經濟明顯發生困難，薪水不能如期發放，伙食停辦，許、廖二人內訌日趨嚴重，債主甚至逼上門來，氣得班主任廖保棟痛哭流涕，處境奇慘。事實上學府招生情形不錯，學費收取最高，而今天弄到如此地步，著實令人不解，更教人甚感惋惜。

四月間，導師紛紛辭職，我亦興起去意，不過最後還是決定作到學期結束再講，同時我師大即將畢業，不禁對以後的出路有很多的構想：想開補習班，又想開家教中心、筆耕社、教書，想了很多，但究竟作什麼？尚待進一步評估，補習班廖主任答應暑期班爲我排課，並要我兼一班導師，我原則同意，並試講一次。老闆說「不錯，學生反應很好」，但在五月底由於學府招生狀況欠佳，且我要準備畢業考，於是便辭別工作了一年十個月的學府補習班。

六、常樂學苑

六月十六日師大課程全部結束，完成了我接受高等教育的願望。但擺在目前的又是一個就業問題。六月廿日於臺北市中山堂中正廳舉行師大日夜間部聯合畢業典禮，由校長張宗良主持。參加學生共一、七四五人，場面浩大，氣氛感人。

六月廿七日，自創「常樂學苑」成立，旨在爲國小畢業生作義務輔導，草擬簡章，印製傳單，至各國小散發，不數日已得到回應，有數十人來報名，但上課地點尙未確定，令人著急。曾到處租借都被婉拒，最後想到岳家對面的一間空屋，經洽商同意後，立即著手整理、打掃、粉刷，一人包辦，接著購買桌椅、黑板、自釘講桌，絳帳授徒，以效馬融，一切準備就緒，七月十日按預定計畫，如期開課，因受場地及設備所限，於是分班上課，上午女生有十六位，下午男生十一位，互不干擾，有一些由家長親自送來，並了解狀況，第一天順利度過，反應不錯，每天規定學生寫日記及毛筆字，奠定其國文基礎，並加強英、數教學，舉行測驗及週考。每日爲其批改試卷及日記，累得我有些吃不消，從作業及考試中發現學生素質不錯，十分欣慰，以後因岳家要修房子，開了一個月的學苑，被迫提前結束。

八月一日，開始兼營「常樂學苑家教中心」外，並四處應徵，希望找一份固定工作，九月一日至建國補習班擔任批改作文工作，不久班主任鍾元瑜要我爲學生講作文作法。

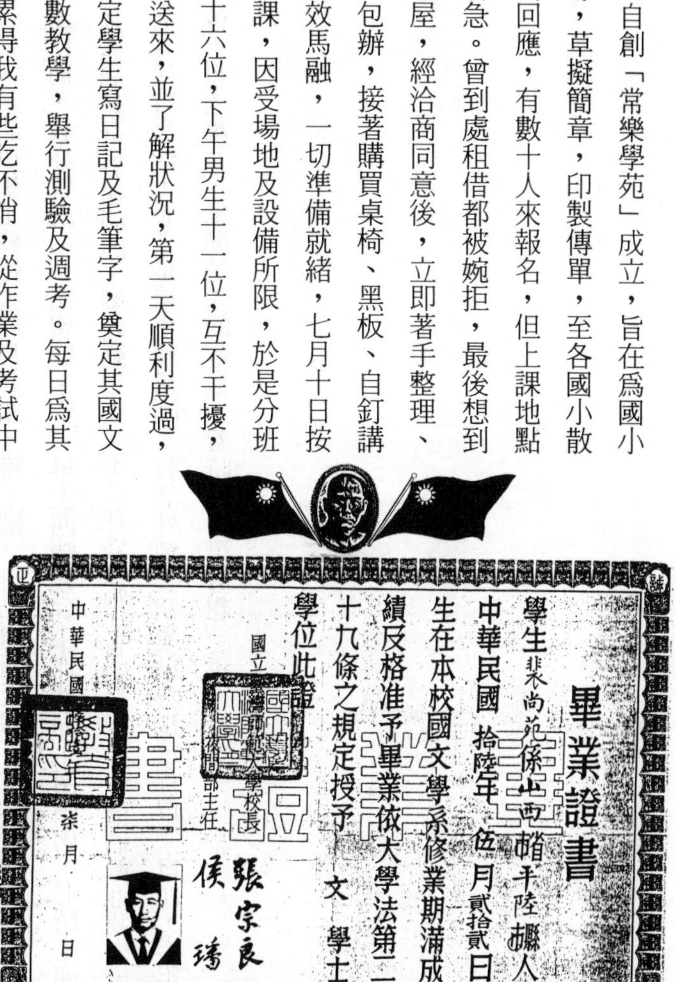

畢業證書

學生裴尚苑係山西　縣人

中華民國拾陸年伍月貳拾貳日生在本校國文學系修業期滿成績及格准予畢業依大學法第二十九條之規定授予文學士學位此證

國立臺灣師範大學校長張宗良

夜間部主任侯璠

中華民國　柒月　日

台高字第298197

爲了經營家教中心，故決心申請裝置一部電話，先交四千元，爾後每月付四百七十元，卅次付清，合計一八、一〇〇元。

電話裝好後除經營家教中心外並兼營「筆耕社」，代人批改作文。

六十二年一月三日，日語班學生蘇緣金赴日就業，晚上國一班仍繼續上課。

在找不到適當工作前，我亦曾應徵「派報助手」，早上四時要到工作地點—南陽街，七時半便可結束，工作性質是分數發報給批發送報的，屬內勤工作，不必在外面跑，月薪八百元，他們歡迎我去，我想一試。然後又去高宜洋行參觀，原來是培育油畫師，製品外銷，初學每月交培育費一百元，半年後即可有收入，一年後可月入萬元，多麼誘人的數目，若時間許可眞想一試。

陸、傳道授業

一、進入滬江

有一天，得知老軍長劉廉一將軍在滬江高中任校長，於是想請老營長李策勳先生代爲介紹。七月四日，接到滬江張主任莫京電話，要週六上午去滬江面談。七月七日上午九時至滬江，看到老師長張莫京他現爲該校總務主任，介紹給校長劉廉一老軍長認識，開門見山便問我願做教師或行政人員？我希望做教員。結果他答應爲我排一班國文課並兼任教學副組長，且有意讓我將來接替教學組長職務，遂帶我去見教務主任王濂伯及教學組長陳少芳，談了一下，並要我十四日上午去試講，預定七月十六日去上班，同時遇到高級班同學管珉，在該校任管理組長。

以後李營長打電話，說我的試講成績很好，受聘已不成問題。

七月十九日又接滬江通知，要我馬上報到，遂即前往，先到教務處，陳組長馬上帶我去見校長，並將教務主任及陳組長一齊留下，當面交代要我幫助教務處辦公，俟開學後並給我一班國文，與前次所講相同，並要明（廿）日去上班，暑假期間半天班，八月底開始上全天班，一切講好，便回家了。

六十二年（一九七三）七月廿日，正式到滬江上班，這將是一個固定而適合的工作。上班第一天，他們交給我一大堆法令規章，要我了解，的確有此必要，希望能早日進入情況。暑期為半天班，故下午仍去「自強」上班，到夜間十時方回家休息。

當時滬江的教務主任是王灝伯先生，教學組長是陳少芳先生，註冊組長宋祖翼先生，幹事有黃克嫻小姐及王蕉治小姐，訓導主任陳鍾昶先生，總務主任張莫京將軍，夜間部主任謝文華先生，我被派在教務處擔任助理教學組長，處理試務工作。

八月九日經師大畢業生輔導會推薦至及人中學任教。經試講愛蓮說，他們認為滿意，又經校長面談後，決定聘我為專任教師兼導師，月薪五千元，此時使我有些進退兩難。後經滬江挽留，且經多方考慮，決定仍留在滬江。誰知這一留，竟留了廿三年之久！

十一月十三日上午，劉校長要我跟他一齊去巡堂，途中告訴我說將要我接教學組長職務，問我能否勝任？我說「只要盡心盡刀，不會有什麼幹不了的」。

臺北市私立滬江中學聘書　　（　）滬聘字第 332 號

茲敦聘

裴尚苑先生為本校專任國文教員兼教學組副組長

此聘

校長

茲訂定聘約如左

一、講授　　課每週授課　　小時

二、聘書有效期間自民國陸拾貳年捌月壹日起至陸拾叁年柒月叁拾壹日止

中華民國六十二年八月　　日

十二月十七日校長遇到我卻說：「教學組長已經另外調整了，目前尚未考慮到你」，又說：「你以教書爲主，在這兒是不會虧待你的」，我支應了幾句，不過內心感到奇怪，前不久曾講過，現在又變卦，我想一定有人在作梗，其實我並不想幹什麼組長，只要有書教就行。次日，陳少芳將教學組長職務交給楊志剛老師。

六十三年新學期開始，由陳鍾祀先生擔任教務主任，他想要我兼各科召集人祕書，有意要我離開教務處，依當時的情形，我卻有意離開滬江。

新學期課表由我編排，似有「越俎代庖」之嫌，學校給我執行祕書頭銜，排名次於教務主任，使我受寵若驚。

當時滬江招生情況並不理想，第二學期日間部僅六百餘人，比上學期少了約兩百人。

劉廉一校長因病於六十三年七月十二日赴美就醫，校長職務由總務主任張莫京代理。

八月一日滬江大學校友王申望女士來校參加英語教師研究會。滬江中學董事會於八月廿一日通過王申望女士任命案，八月廿八日以代校長名義來校視事。新學期校務會議時，創辦人會主席吳嵩慶及董事長錢傑夫均參與，並宣布全力支持代校長王申望女士。

新代校長到校先調整待遇，我九月份領到七、三二五元爲到校領得最多的一次，調整幅度超過百分之五十。

二、輔導中心

十月十六日，學校欲成立「學生輔導中心」，王校長要我負責規劃設立，位置暫設於校長室斜對面實習銀行內。布置好後校長去看，連聲說好，給我不少鼓勵，以後陸續至各校參觀，搜集資料，建立制度，並實際展開輔導活動，首先與導師溝通觀念，並與所謂的「問題學生」個別談話。

十二月卅日，校長對我的工作情況尙感滿意，誇獎鼓勵一番，同時告知下學期要我接教學組長職務，她對我如此禮遇，實在難以推辭，答應全力以赴，並抱定「謙冲待人，直道而行」的原則去待人處事，但應楊志剛要求再作一學期才更換。

六十四年一月廿日聽說老校長劉廉一因病於美逝世，令人震驚，不禁悲傷、無限懷念，使我有「人雖仙逝，德被後世」之感。

一月卅日於臺北市新生南路懷恩堂爲劉故校長廉一將軍舉行追思禮拜，參加的高官不少，如劉安祺、石覺將軍等，可謂「冠蓋雲集」，備極哀榮。

三、教學組長

六十四年七月廿一日，接到「國文專任教師兼教學組長」聘書，八月一日生效。於是將輔導中心業務交給劉華實老師，我即參與新聘教師試教甄選工作，並研究課程標準，積極展開教學組新學期各項準備工作，教學組工作十分繁重，當時有劉俠君老師及游清美小姐二位協助，工作推行尙稱順利，教務主任爲陳鍾祀先生，註冊組長爲楊志剛先生。

六十五年四月間，感覺肩部疼痛，經求醫診治，即所謂的「五十肩」，曾至榮總照了不少X光片，拿藥來吃，未立即見效。亦向漢醫求診，摩皮貼藥，仍然會痛，有一天上課，向學生訴苦，乞求祕方，有一位叫詹光大的同學說：「去鍼灸一下看看」！於是提醒了我，以前亦曾聽同事黃九皋先生說他有位朋友自外國帶回一部機器，會測出人體是否健康，若有毛病便會發出聲音，而且可以鍼灸，於是有一天中午下班後便請他帶我一齊去看看。

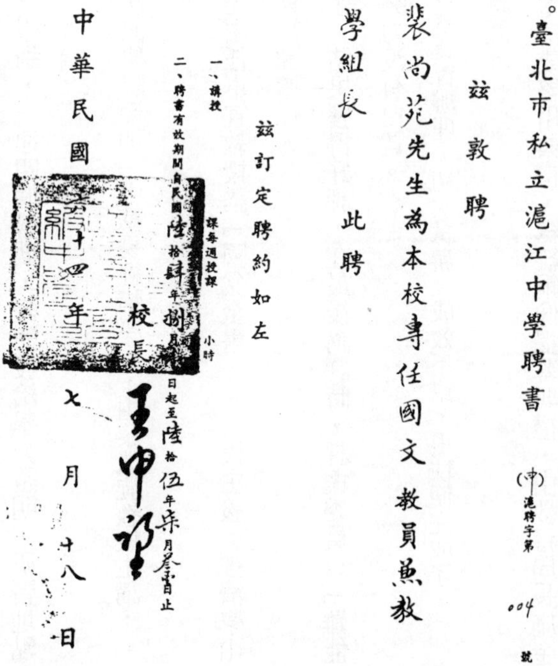
臺北市私立滬江中學聘書　(中)滬聘字第 004 號

茲敦聘

裴尚苑先生為本校專任國文教員兼教學組長　此聘

茲訂定聘約如左

一、講授　課每週授課　小時

二、聘書有效期間自民國陸拾肆年捌月　日起至陸拾伍年柒月叁拾日止

校長　王中

中華民國六十四年七月十八日

他帶我到景美一家「顯仁診所」，進去一看，已有四、五位候診者，診所最前爲候診室，中間是院長室，最後才是鍼灸室。我等了一會，聽裡面大夫講話聲，有些鄉音，從旁一看好像是中學同學尚武，但數十年未見面，相貌有些改變，不敢確認，且萬想不到他會鍼灸，心中仍在懷疑，直等到輪我治療時，我才問他貴姓，他答說「尚武」，如此才確定是他，眞是巧遇，他當時也看我面熟，但叫不出名字，經我一說他想起來，於是我才放心讓他鍼灸。經扎了幾針後，果然解除疼痛，手臂輕鬆多了，幾

日來沉重的心情一掃而空，大有「手到病除」之感，因他尙須為其他患者治病，遂彼此相約擇期暢談。因這場病痛，間接牽引我及老友跨越幾十年時空再次見面，令人不禁感嘆：「人生何處不相逢」！

四、研習主義

六月卅日，意外地接獲師大三民主義研究所進修班通知，獲准參加進修，共卅人，為期九週，自七月五日起正式上課，至九月一日止，七月三日報到，一連四個暑期，修完發給學分證明，研習地點就在師大分部，對我來說十分方便。

七月四日，星期日上午九時半至徐州路臺大法商學院參加「中華易經講座」，由黎凱旋教授主講：「易經之本源」，我買了一本周易本義。

七月五日，三民主義研習班正式開課，首先由任卓宣教授講「國父全書」、三民主義。經濟學由張弦先生擔任，政治學由三民主義研究所所長葉祖灝擔任。

六十六年一月七日，滬江高中接受工科評鑑，結果獲得好評，在最後講評時，評鑑委員以「難能可貴」讚美我們，大家聽了都很高興，幾年的努力沒有白費。

新學期開始改變註冊方式，由各班導師於各教室負責辦理，初次試辦，成效不錯，很快便完成了。

四月中督促工商科實習成果展，忙了一段時間。

五月七日，滬江舉辦卅九週年校慶暨中正堂落成啓用典禮，總統銅像揭幕典禮，由教育局長施金池先生揭幕，滬大校友多人參加，情況熱烈，會後並舉行音樂會。

五月十六日，又接受高中評鑑，五月廿一日訓導主任謝文華因行爲失檢，有損校譽，被停職處分。

因承辦私校聯招閱卷工作，同陳鍾昶主任至中山女高吸取經驗，由其教務主任徐暢先生接待說明並給我們一本公立學校聯招研究報告，以資參考。

七月三日期末校務會議時，宣布總務主任張莫京辭職獲准，離開滬江。

八月二日，開始私校聯招閱卷工作。三時召開閱卷會議，說明注意事項，三時半即展開國文、英文、自然三科的閱卷工作，直閱到晚上十時，暫時停止。次日清晨繼續，社會、數學二科也開始了，一百多位閱卷老師，將中正堂地下室擠得滿滿的，初閱完畢，交換後進行複閱，直至六日下午才全部閱畢。旋即計算成績，拆除彌封頗爲費時，遂調學生及行政人員一齊拆封，至八日中午成績統計完畢，送至聯招會—育達商職，完成一件艱鉅工作。

滬江高中自六十六年參加私立聯招後，校譽日隆，招生情況大爲好轉，原預定只招一班的均增爲兩班，工作同仁都很興奮，校長提出「突破」二字，作爲大家努力的目標，並創立「榮譽日」制度，每學期一次，於週會時舉辦，頒發上學期績優學生獎狀，獎品或獎金，以激勵學生力求上進。

普通科評鑑成績公布，在廿四所公私立高中，滬江各項分別列爲15、16尚算不壞。

六十七年元月間，由於長期工作繁忙，精神緊張，致罹患胃病，幸遇榮總趙遐父醫師，給於安排照**X**光，內鏡檢查並驗血等一系列詳細檢查後，斷定不是十二指腸潰瘍，只是胃部有點發炎而已。開

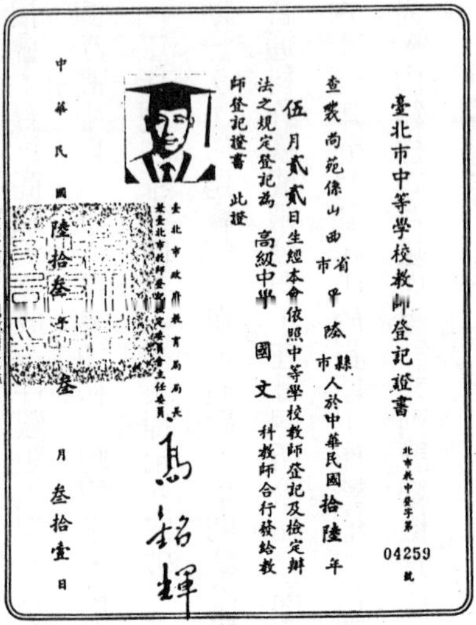

臺北市中等學校教師登記證書

北市教中登字第 04259 號

查裴尚苑係山西省平陸市縣人於中華民國拾陸年伍月貳貳日生經本會依照中等學校教師登記及檢定辦法之規定登記為高級中學國文科教師合行發給教師登記證書 此證

臺北市政府教育局局長
兼臺北市教師登記檢定委員會主任委員 黃昆輝

中華民國陸拾叁年叁月叁拾壹日

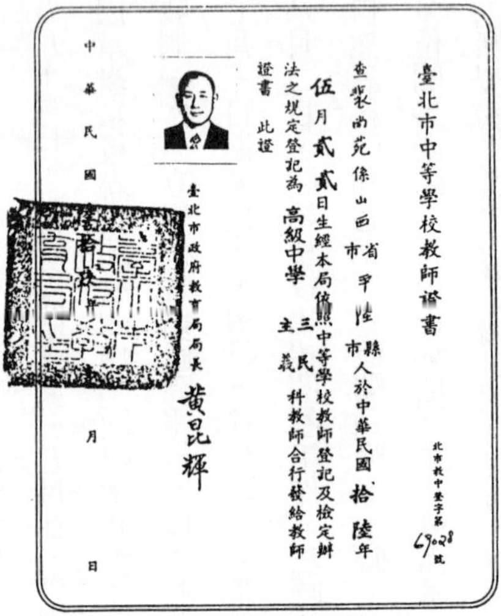

臺北市中等學校教師證書

北市教中登字第 69028 號

查裴尚苑係山西省平陸市縣人於中華民國拾陸年伍月貳貳日生經本局依照中等學校教師登記及檢定辦法之規定登記為高級中學三民主義科教師合行發給教師證書 此證

臺北市政府教育局局長 黃昆輝

中華民國　年　月　日

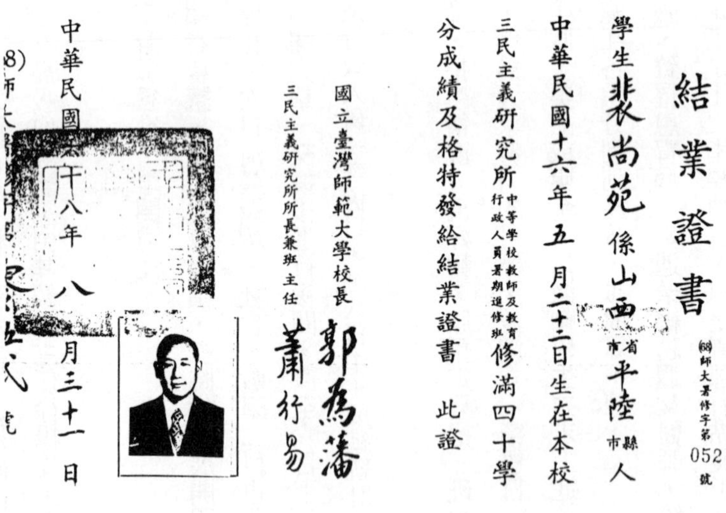

結業證書

(68)師大暑修字第 052 號

學生裴尚苑係山西省平陸市縣人中華民國十六年五月二十二日生在本校三民主義研究所中等學校教師及教育行政人員暑期進修班修滿四十學分成績及格特發給結業證書 此證

國立臺灣師範大學校長 郭為藩

三民主義研究所所長兼班主任 蕭行易

中華民國六十八年八月三十一日

了些藥，服用後便痊癒了。

六十七年一月卅日正式任命楊占文老師爲新學期訓導主任，這是校長徵詢大多數教師的意見後而決定的，應屬當時較爲適當的人選，因楊爲人正直，操守廉潔，頗得人望。

五月卅一日，校長告知下學期要我去夜間部擔任教務組長職務，繼續與調任夜間部主任的陳鍾昶先生合作。我無異議於新職，只不過心中顧慮的是晚上無法再督促小孩作功課了。

日間部教務主任由教國文的范蘭英老師升任，教學組長由劉公卿老師擔任，黃九皋先生則調任人事組長。

暑期繼續在師大進修，滬江仍擔任私校聯招的閱卷工作，而且仍由我主辦，故比較忙碌，不過成績處理則由開南商工負責，我們可以輕鬆一些。

六十九年一月廿二日，三民主義教師合格證發下，如今我具有國文及三民主義雙重合格教師資格。

五、教務主任

六十九年五月十五日，上班後，校長即找我去談話，預告下學期要我到日間部任教務主任職，有機會升遷，當然是好事，於是我滿口答應，夜間部仍由陳鍾昶主任負責，心想主任是要重思考、多設計、求創新，故日後宜多用腦筋，且在口齒方面亦要多加磨練，以便溝通協調。

此時便開始參與日間部的招生宣導工作，至各國中介紹滬江高中，希望他們畢業後投考滬江高中。招生宣導工作在私立學校來說是一項非常重要的業務，因它關係到學校的生存與發展，故各校均極爲重視。

同時決定由國文教師吳聲誠擔任我的助手—教學組長，註冊組長由林淑碧老師擔任。

六月廿七日已接到「日間部專任教員兼教務主任」的聘書，正式生效日期爲八月一日。

當年私校聯招滬江考區工作由日間部負責，但聯招會閱卷工作又由我負責，夜間教務組長業務準備交給林繁雄老師，七月中旬已辦移交，同時展開日間教務策劃工作，廿五日至日間部上班，八月一日正式接任教務主任職務。忙於聯招閱卷工作，接著新生登記，新進教師甄選，課程分配等教務工作，由於工作同仁全心協力，一切進行順利，新生班班額滿，大家興高彩烈，經統計當年日間部新舊生共計一千四百餘人。

由於學生人數增加，經濟狀況好轉，學校宣布大幅調薪，約調高33%，相當可觀，雖比不上公立學校，但在私立學校來說可謂「大手筆」，難能可貴，同仁們皆大歡喜，士氣大振，此亦爲王申望校

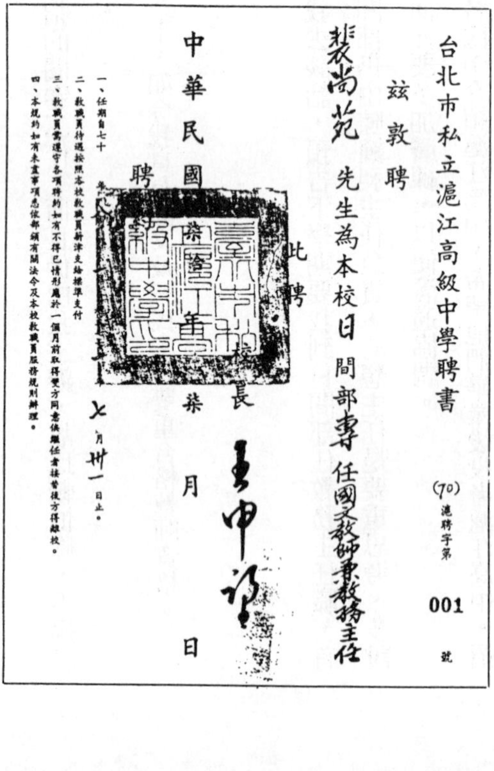

台北市私立滬江高級中學聘書

(70)滬聘字第 001 號

茲敦聘

裴尚苑 先生爲本校日間部專任國文教師兼教務主任

此聘

校長 王申望

聘約

一、任期自七十 [illegible] 七月卅一日止。

二、教職員待遇按照本校教職員薪津支給標準支付

三、教職員需遵守各項聘約如有不得已情形應於一個月前取得雙方同意俟繼任者接替後方得離校。

四、本規約如有未盡事項悉依部頒有關法令及本校教職員服務規則辦理。

中華民國柒拾年 七 月 卅一 日

長主持校務以來第二度大幅調薪。

九月廿六日，滬江勤愛樓「開工典禮」，由董事長牛徐金珠女士主持，創辦人會主席吳嵩慶將軍祈禱，典禮歷廿分鐘結束。

六、萬金家書

離家數十年，音訊毫無，於七十年三月廿六日才經同學林杏琳小姐由香港轉來一封家書，得知父母均已去世，不禁令我悲傷，痛哭一場，不過兄弟三人及妹妹均健在，且已婚嫁生子，現全家有三十二口人，不過兩位嫂嫂都已過世了。

七十年六月廿七日，接到下年度聘書仍兼任教務主任。有一天，王申望校長對我說，歷年來珠算檢定給她的津貼，都存了起來，現已積存不少，擬用以購置一套諾貝爾文學獎得主的作品，送給學校圖書館，由此可見她的為人及用心，不禁令人敬佩。

七十一年四月一日，晚飯後躺在床上休息，忽接三嬸電話，說「三叔（姜善亭先生）去世了」。時間是下午六時卅分，因晚上學校有課，只好明天前去慰問，晚上上完課回家後給同鄉打電話通知此事，回想長期來在臺受三叔照顧，乍聞惡耗，令人悲痛，遂綴輓聯一幅以示悼念：「三十年常眷顧情如家人；剎那間雲遊去慟煞鄉親」，四月七日出殯，火化骨灰安置於臺中安樂寺。

七十一年七月五日，校長王申望宣布下學期人事異動情形：即陳鍾昶調副校長兼訓導主任，王乃斌因故辭職，楊占文調總務主任，帥政修升夜間部主任，我仍為日間教務主任，其餘照舊，無異動，只是董事會不同意設副校長。

七、校長退休

民國七十五年，二月王申望校長退休，由前松山商職校長汪乾文接替，學校人事因之有所異動：原總務主任黃遇雄退休，由許越雲接任，訓導主任陳鐘昶調夜間部主任，由葉世駼接任，楊德禮、楊占文、黃九皋退休。二月廿二日校長交接典禮，於禮堂舉行，不少外賓前來觀禮。

汪校長到校採先觀察再改革態度，「依循往例充分授權」實在是聰明的作法，他十分健談，善於辭令富有行政經驗，令人佩服。當時董事會派周董事錦儒及王董事申望駐校督導。

汪校長一向喜歡讚美別人，這是他做人成功的地方，不過有些觀點與我有些出入。由於汪校長與商學界的關係很好，因此讓滬江高中在七十六年內承辦了兩大活動：一為全國珠算比賽，一為全國簿記、會計檢定考試。

八月卅一日夜間部主任陳鐘昶請辭離校，赴臺南新營擔任由臺糖公司所創辦的南光中學的校長，所遺職務由蔡勝雄老師暫代。

七十六年暑期招生情形欠佳，比預定招收班級減少三班，給大家帶來相當震撼，立圖改革，在教學方面；加強普通科升學輔導，訓導方面，嚴格管理，以期提升校譽。

八、返鄉探親

政府宣布自七十六年十一月二日起開放赴大陸探親，由紅十字會中介承辦，實為來臺同胞一大喜訊，引起國際注意。

七十七年元旦解除報禁，一月十三日蔣總統經國先生逝世，依法由副總統李登輝先生繼任。

七十七年七月五日與淑玉及范居泰、楊培林等同鄉返鄉探親：相隔數十年能有機會再踏上故土，實在是一件令人興奮的事，經香港轉飛西安。在西安住一夜，次日，遊大雁塔，返家途中順道遊華清池、兵馬俑、秦始皇墓等名勝。

八日傍晚至三門峽，臺辦處人員及家屬等開車來接，六時乘渡輪過黃河，當時天色已晚，且下著雨，幸賴臺辦處姜向貞先生帶路才找到七哥住所，不然還找不到家哩！

次日，上午隨同家人至父母墳上祭祀，不禁痛哭一場。隨後又去諸侄兒家，並至中張村水嬌妹妹家吃飯，回來順便又轉訪侄孫女，十一日至芮城參觀永樂宮，十二日至尚賢堂兄處拿家譜，準備返臺後重修。

在家待了五天，十四日便同七哥、水嬌等經運城乘火車赴太原，太原為山西省會，我初次前往，由范居泰先生派「小劉」先去為我們安排住處，夜宿三晉大廈。

十五日遊太原市及晉祠，十七日乘火車軟臥至北京，夜宿防空洞內，很不習慣，幸賴外甥增科女友季文英小姐找到郊區一家華西飯店，住了幾天。十九日遊北京動物園及頤和園，廿日，參加「北京一日五遊」，去看了十三陵、長城八達嶺等地，廿一日早上先去確認機位，然後去參觀故宮，走了一天，十分疲倦。

廿二日，又作北京市區觀光，參觀人民大會堂、天安門廣場、歷史博物館，中午在全聚德吃烤鴨。

廿三日逛王府井大街，因天雨未能暢遊，同伴楊培林先生換錢被騙，廿四日由北京飛抵香港，又住一夜。廿五日下午才由香港飛返桃園中正機場。三時半降落，到家時已下午六點鐘了，順利完成三週的返鄉探親之旅：特別爲此寫一篇七言律詩以爲記：

人事滄桑如海田，不堪回首憶從前。
故鄉宗廟遭摧毀，古柏宇屋杳無煙。
用水用電稍方便，人情倫常大改觀。
浮沉避難蓬萊島，濶別鄉關數十年。

九、返鄉立碑

民國七十九年，八月十二日，與幾位同鄉相偕返鄉，我的主要目的在爲先父母立碑，以表孝思，中午由中正機場乘國泰五六五班機飛往香港，轉乘中國民航飛往鄭州，九時廿分抵達，居泰孫女接待，夜宿中州賓館。

次日，由何文學處長備兩部小汽車載我們一行由鄭州經洛陽直奔三門峽，在茅津渡遇到侄兒錫昌及外甥馬增貴來接，仍乘渡輪過黃河，晚上八時抵常樂家門，七哥大門已改建，夜宿窰洞中。

十五日，舉行立碑大典，此爲本次返鄉主要任務，鄰居親友都來幫忙。十一時正式開始，以樂隊前導迎親友所送之輓聯，十二時舉行儀式，下午一時至墓地立碑、祭祀，歷半小時完成，泥工繼作碑樓，二時宴客，採流水席方式，共開十餘桌，分批進餐，我逐桌敬酒致謝。

八月十九日，離家赴洛陽。遊龍門山、白馬寺，再至鄭州，仍住中州賓館。廿日遊少林寺。

八月廿一日，由鄭州飛往南京展開旅遊行程，住中山大廈。廿二日，參觀無樑殿、中山陵、長江大橋，下午乘火車至屯溪，先至武人部隊招待所，爲了安全計被公安人員帶至華山賓館住了一夜。廿三日包車至黃山腳下桃源賓館，下午登黃山，夜宿西海賓館，居泰父女及我們倆四人併住一房。廿四日遊完黃山各景點後，下午一時由白鵝嶺搭纜車下山，住桃源賓館。廿五日由黃山乘公車直達杭州，夜宿新僑飯店，後又遷至望湖賓館。

八月廿六日，遊西湖、靈隱寺、岳王廟。廿七日由杭州乘火車軟座經上海往蘇州，至南林飯店，包車遊名園、虎丘、寒山寺、西園、留園等處。

廿八日上午又遊拙政園、獅子林、北寺塔、倉浪亭。下午乘火車至上海，先到「海虹旅社」找董進華先生拿由上海至桂林之機票。然後遊玉佛寺、豫園，在城隍廟附近吃小吃。

廿九日由上海飛往桂林，被臺胞服務處人員帶至錦桂飯店，趕船遊漓江。四時抵陽朔，下船後乘車回桂林。

卅日，桂林市區觀光，先去蘆笛岩，每人二十元港幣，當地人僅三元人民幣，令人不平，九時上疊彩山，伏波山七星岩。下午由桂林飛香港、轉飛中正機場，結束返鄉立碑之旅。

柒、脫穎而出

一、晉任校長

汪乾文校長年屆七十，決定於八十年暑期退休，因之校長人選便成爲學校同仁大家談話的焦點，不過據王董說：「董事會已有原則性決定，即由內升，且以品德操守爲重。」於是大家都在猜測，有人說陳鍾昶校長會回來，有人說周董事錦儒支持葉世騄主任，也有人說是我，大家衆說紛紜，莫衷一是。

六月三日，王董要我與老師談話，以探測下學期動向，並要人事將聘書寫好，校長印緩蓋，等人事確定後再蓋，六月底前發聘，同時她透露將來校長可能是我，但又帶一句「還不一定」，以後聽蔡勝雄主任講「早已決定了，就是葉主任」。我倒有些迷糊了，不管怎樣，靜待事實證明吧！

兩天後，人事組長姚雲駿要我寫校長簽名章，並要準備一枚私章，且談到交接如何安排等問題，好像已確定下任校長就是我了，不過我並未正式接到告知。

六月八日，星期六中午，王董事召集「決策小組」，即各處主任：包括葉世騄、蔡勝雄、許越雲、劉華實、我本人及王董事、周董事七人，於聯勤俱樂部聚會。王董宣布開會目的在選校長，每人發一張空白紙條，以便寫出校長姓名，但他們有異議，葉世騄、蔡勝雄不肯寫選票，許越雲，及劉華實寫了我，周董事認爲應由董事會決定，王董最後表明「董事會有意先要裴主任做兩年以後再說。」，葉極力爭取，並表示若不任校長可能會辭職，教務主任他亦不想幹。總之，選舉過程並不如王董事想像的那麼順利，下午二時在不太和諧的氣氛下結束。

六月十四日，才確知由我任校長，葉世騄任教務主任，訓導主任由蔡勝雄擔任，夜間部主任尚在討論中。我建議由盧厚勤老師擔任，但周董支持王偉文老師，那只好依他的了。

六月廿一日，董事會正式通過我的任命案，並說其他主任人選由我決定。

六月廿八日，學期結束，休業式時汪乾文校長向學生告別，說明下學期要退休了，各班代表獻花，離情依依。

下午六時假臺北市希爾頓飯店召開期末校務會議及新任校長布達儀式，董事們及全體教職員都盛裝參加，顯得喜氣洋洋，會議開始，先由王國琦董事長報告汪校長依規定退休，並介紹我爲新校長，遂即頒發聘書，然後分別由汪校長及我講話，其中南光陳鍾昶校長的一段賀辭使我感動。會後聚餐，八時結束，我正式接任校長。

七月廿五日，學生返校，同時由王董事在集會中向學生介紹新校長，並歡送汪校長，日夜間部分別舉行，各班代表獻花，又是一番激情，場面十分溫馨。

七月卅日，舉行校長交接典禮，由王董監交，全校行政人員觀禮，有不少學校校長及親友送花籃以示祝賀，先由王董致詞，並送我一支玫瑰花表示祝賀，接著交接印信，以後分別由汪校長及我講話，最後列隊送汪校長離去，完成交接儀式。

八月一日，正式上任執行校長職務，同時擔任私立學校聯招會滬江考區主任，主持考前會議，進行順利。

擔任校長後，講話機會較多，開學典禮時要講話，校務會議時要講話，任何一個活動都得講話，對一向沈默寡言、不愛講話的我來說，實是一大負擔。所以每在一項活動前都得作一番準備，以免出醜，幸好都還過得去，偶爾還會得到同事們的讚許，獲得很大鼓勵。

(80) 滬董字第〇一號

台北市私立滬江高級中學董事會聘書

茲敦聘

裴尚苑 先生為滬江高級中學校長

此聘

董事長 王國琦

中華民國八十年七月一日

聘約

一、任期自八十年八月一日起至八十一年七月卅一日止。

二、待遇按滬江高級中學教職員薪津支給標準支付。

三、依據法令綜理校務執行董事會決議並受主管教育行政機關之監督。除本校職務外不得兼營商業及校外有給職務。

四、不得任用配偶及三等親以內血親、姻親擔任總務、會計、人事職務。

五、本契約如有未盡事項悉依政府有關法令及董事會決議辦理。

接任後以「務實」、「革新」為努力目標，採民主方式，博采眾議，力求革新，首先組成「校務

委員會」，由學校核心人士及教師代表組成，凡學校重大事件均經校委會討論後付諸實施。

首先改革的是調整薪資制度，即比照公立學校薪資制度在學校能力範圍之內逐步達成。由於新制重視年資，與舊制相差甚大，有的增加上萬元，也有的減少數千元；增加的多，減少的少。為了調薪後，使每人薪水都不能比以前減少，如此只好採貼補辦法，結果將會超出預算，但為了改革不得不如此。為了調薪曾費了不少心事，反覆計算比較，也曾數夜為此不得安眠。最後王董事為了保持預算平衡，裁示仍依舊制標準調升6%，年資基數改為二〇〇元定案，深感改革不易。

二、調整人事

五月十八日董事會給我一張字條，為董事長手諭：「葉世騄及王偉文不得兼任行政工作」，七月一日我將上情分別轉告葉、王二人，各有不同反應，不過他們早已心中有數了。

經過一段時間的協調磋商下學年度的人事總算確定了，由范蘭英老師任教務主任，蔡勝雄任訓導主任，盧厚勤任夜間部主任、葉世騄改任實習輔導主任，這是前校長汪乾文及許越雲主任向董事長為他爭來的。

本擬於去年便想改變的新資結構，經一年的反覆研究核算調整，終於在新學年度付諸實施了，既能逐步符合公立學校的架構，又不至超出預算太多，費了不少心思，總算擺平了，亦算一大改革。

八十一年八月廿五日，新生訓練時，提出「禮貌、整潔、秩序、服務、勤學」五大要求作為同學努力的目標，以實現培育健全國民的教育理想。

三、長江三峽

十月廿六日，上午董事長至學校參加升旗典禮，並為學生訓話，九時我即回家整理行李，中午同淑玉搭車至南京東路海霸王前隨私校聯招會旅遊團前往中正機場，展開為期八日的長江三峽之旅。下午三時廿五分搭國泰四〇五號班機飛往香港。七時卅分轉乘中國西南航空四〇一六班機飛往四川成都，九時四十分抵達。晚餐時為一位記者團員慶生，時已午夜，夜宿「岷山飯店」，只有一條氈子，有些冷。

廿七日，上午參觀漢昭烈帝墓及諸葛武侯祠，導遊講述有關故事，另外參觀位於博物館旁的「護膚靈」賣藥表演，杜甫草堂，範圍很大，有不少古蹟。

下午三時至成都機場準備飛往重慶，歷一小時航程，五時降落重慶機場，出機場後即去參觀一處民俗館，夜宿揚子江飯店。

廿八日，七時半至重慶碼頭，登上「西陵號」遊輪，開始長江三峽航程，每二人一間套房，設備尚佳，船共五層，我們住在三樓，距餐廳、酒吧最近，上下都很方便，旅客百餘人，八時召開說明會，簡介「西陵號」及一些規定事項，每日用餐時間為：八、十二、六時。

下午二時半船行至豐都縣，下船參觀著名的「鬼城」，坐纜車上山，每人六元人民幣，下山又看跳鬼舞，喝迷魂茶，五時返回船上，六時船長以晚宴歡迎旅客，夜晚船照常航行，晚上醒來一看，只見兩岸具爲高山，不知停在何處。

廿九日，九時經過瞿塘峽，大家都上甲板欣賞風景，風大，有些冷，十時船在巫山縣停泊，改乘小船遊小三峽，逆流而上，大寧河水清而急，有時須靠船夫撐竿上行，沿途削壁高聳，風景絕佳。下午二時抵雙龍鎭午餐，然後繼續乘船前進遊滴翠峽，水色碧綠，景色靜謐，令人陶醉，未幾返航，經龍門峽，五時重返「西陵號」，回顧今早辭別白帝城，經巫山遊小三峽，全長五十公里，峽中有古棧道遺跡，懸棺，絕壁對峙，猶如仙境，晚上船行至宜昌市碼頭停泊。

卅日，清晨六時五十分開航，經八斗坪—三峽大壩預定興建處，江面平濶；約數千公尺，與三峽狀況迥異，向下行右岸有黃陵廟，九時通過葛洲壩，壩長二五六〇公尺、高七十公尺，目前爲亞洲之最，客船通過時，上下水位差約卅公尺，一開一閤，甚爲神奇。

九時半下船至宜昌市參觀中華鱘魚研究所，想不到長江竟有五公尺長體形龐大之鱘魚，據導遊云宜昌有三寶—橘子、盆景、陶器。鱘魚不在其中，午餐後又上船繼續前行，此時船行平穩，與淑玉併肩坐在船頭，欣賞兩岸風景，清風徐來，彩霞晚照，水鳥旋空，不時有一列貨船逆流而上；好美的一幅長江美景，眞是一大享受。

卅一日晨，船停岳陽縣，遂下船遊岳陽市，並進早餐，忽見街頭圍一群人，據說有人將小孩丟棄在垃圾桶內。

八時參觀岳陽樓，不禁使我想起范仲淹的岳陽樓記……「銜遠山，呑長江，浩浩蕩蕩、橫無際涯，朝暉夕陰，氣象萬千」，登斯樓眞有「心曠神怡，寵辱皆忘」之感。十一時上船續向前行，下午經過「赤壁」，遙望右岸山壁上「赤壁」兩個紅色大字，使人有置身古戰場之感。七時抵武漢之武陽港停靠下船，時天已黑，遂進入「晴川飯店」，宵夜時吃痲辣火鍋。

十一月一日，清晨參觀武漢長江大橋，橋分兩層，上行汽車，下行火車，建築雄偉，旁有一廟，有人在打太極拳，八時外出參觀：先看博物館，曾侯乙古墓出土文物，有編鐘等，以後在東湖遊覽，買畫。當地人將東湖比作杭州西湖，但不比西湖出名。

十二時登臨黃鶴樓：目前樓高五層，建築雄偉，其中展示自唐以來歷代黃鶴樓模型，以目前之樓爲最高，下午參觀琴台，中國書畫院，看到複製名畫、描繪、裱背情形。

十一月二日，上午八時至武漢機場，乘九時卅分班機飛往香港，下午二時轉國泰CX五三〇班機返回臺北，結束旅程。

四、錢董事長

八十二年一月十八日，召開董事會，新舊任董事長交接，由前董事長王國琦交給新任董事長錢龍韜，王中望董事將學校財務移交給龔強董事，會中表示要以「企業家精神辦理學校，並尊重校長職權。」

二月廿三日，董事長錢龍韜於中華票券公司，請學校主任級以上幹部晚餐。餐會中曾向大家表示，下學年仍請我幫忙，董事會不必開了，由他給各董事打電話連絡即可。

十一月五日滬江高中嵩慶樓落成啓用典禮。當日天氣晴和，典禮十時開始，到場貴賓有國策顧問宋長志將軍、俞禮亮等幾位校長、滬大香港、美、加同學代表十餘位董事們及記者等，可謂貴賓雲集，盛況空前，由於事前充分準備，計畫週詳，典禮進行十分順利，結束後即於三樓校史館舉行慶祝酒會，十一時於五樓教堂舉行感恩禮拜，由王董事申望領會，郭牧師證道，學生團契及教師合唱團分別獻唱，十分隆重。會後率貴賓參觀特種教室、實驗室等，十二時聚餐後圓滿結束繁忙喜悅的落成典禮。

五、再上黃山

八十三年十月二日，隨私校聯招會再度赴大陸旅遊，八時由中正機場飛往香港，中午乘中國東方民航MU〇五〇二班機轉飛上海。下午二時廿分降落虹橋機場，出機場後即去參觀宋慶齡墓園，五時至乾隆坊由靜心中小學周董事長請客，夜宿銀河賓館。

十月三日，上海市區觀光，經南京東路至黃埔灘，參觀玉佛寺，絲織品販賣場。

十時由上海乘火車往蘇州，十二時抵達，午餐後，遊虎丘山，天氣晴朗；遊客甚多，此爲我舊地重遊，不過此次有導遊解說，有進一步了解，接著遊有名的「寒山寺」，此寺因張繼的「楓橋夜泊」詩句而著名，以後參觀「網師園」，規模比不上「拙政園」，但有其特色，夜宿「雅都飯店」。

四日，上午由蘇州乘火車經上海轉赴杭州，於上海車站時有位團員不愼錢包被竊，引起一陣議論，但無補於事。下午一時許抵杭州，然後冒小雨遊西湖，乘汽艇繞湖一週，西湖景色各有不同，有云「晴湖不如雨湖，雨湖不如夜湖，夜湖不如雪湖」。上岸後至「問茶樓」品嘗龍井茶，據說有幾項講究：一不加蓋、二水不要太熱。一杯聞茶、二杯品茶。

五日，清早於旅社門口乘三輪車，繞附近市區卅分鐘。早餐後去遊靈隱寺，出寺後上車時有位同伴發現手提包不見了，護照、台胞證、錢包都在裡面，這一下可緊張了，大伙趕快回頭去找，此時大家都認爲凶多吉少，八成是找不到了。過不多久，出乎意料的奇蹟似的竟然給找到了，眞是喜出望外，原來由一位好心婦人坐在皮包旁守護著，等失主來找，失主曾拿錢給她以表謝意，却被她堅拒了，不禁讓大家敬佩，想不到在目前的大陸還有這樣的好人，全團稱慶，不過「瑤琳仙境」已去不成，改爲杭州市區觀光。

下午參觀「南屏晚鐘」、「運木古井」、錢塘江：雙層大橋、六和塔、玉泉觀魚、岳王廟、虎跑泉等景點。晚餐後，逛百貨公司，夜宿黃龍旅社。

六日，上午去參觀瑤琳仙境，出杭州經富陽市，休息時發現右腳掌走腫了，稍有不便，下午一時半進入「瑤琳仙境」，比蘆笛岩規模大，歷二小時方出洞，然後駛往黃山，八時半抵達黃山市（屯溪），車子故障，致十一時半方抵花溪旅社。

七日，上午車行三小時，抵達黃山腳下，乘纜車登上白鵝嶺，一片大霧加帶小雨，視野不及十米，黃山美景盡在雲霧濛瀧中。上次來時爲晴天，美景盡收眼底，此次雨天，讓我有機會看到黃山的另一面，中午在北海賓館午餐，口味尙佳。下午冒雨爬光明嶺，來回費三小時，雖因雨無法欣賞美景却收運動之效。

八日，早上仍由白鵝嶺乘纜車下山，十二時由黃山機場飛往廣州，在機場巧遇翁玉（我的學生）夫婦，我們同機至廣州，下午二時許抵達白雲機場，接著市區觀光。三時至黃花崗七十二烈士墓園參觀，五時又至白雲機場搭機飛香港轉臺北，抵家已過午夜，結束了一週的華東黃山之旅。

六、絲路之旅

八十四年九月十九日，同淑玉隨私校聯招會參加絲路之旅，中午至中正機場，下午一時半乘國泰航空至香港。五時四十五分轉乘中國西北航空飛往蘭州，航程一〇五〇公里，七時半降落武漢機場，加油，乘客不下機，八時續飛又一二二七公里，十時降落蘭州機場。當地氣溫十三度，有些冷，出關後乘車至蘭州市，夜暗無法觀景，只聽導遊在車上介紹蘭州概況，十二時抵蘭州市宵夜，夜宿飛天旅社。

廿日上午先遊白塔山，俯視蘭州市及黃河大橋，蘭州市沿黃河兩岸而設，成狹長形，然後參觀河岸公園，內有「黃河的母親」雕塑，母親側臥，懷抱嬰兒，十分雅致可愛，爲大陸一名雕塑家作品，看到河邊大水車，曾在地理課本封面上看過它，頗有歷史，現仍運作。

下午一時登機飛往嘉裕關，距蘭州七一〇公里，沿途俯視機下一片荒漠，歷一小時廿分鐘抵嘉裕關機場，然後參觀長城西端的嘉裕關，關分內城、外城及甕城，城牆上有兩座城樓，雄偉壯觀，城牆亦經維修完整，未見殘缺，不過延伸至兩邊的城牆已被雨水冲刷，有些流失。登樓遠望關外，一片茫茫，不禁想起「西出陽關無故人」之句。

二時半離開嘉裕關開往敦煌，中途參觀古城，九時五十分抵敦煌賓館。

廿一日上午，參觀著名的藝術寶庫—莫高窟，沿山壁開鑿，共四九二洞，其中有兩尊大佛塑像，一為三十六公尺高，另一尊廿餘公尺，還有一尊臥佛十五公尺長，每洞均有精美壁畫，保留數千年，實在珍貴。

下午去鳴沙山騎駱駝，看月牙泉（一泓泉水，形如月狀），實一沙漠奇景。

四時離敦煌至柳園，該處草木不生，缺乏用水，水皆由外地運來，十分不便，居民生活艱苦，是一無樹無草的市鎮，其情可想而知。七時半由柳園乘火車開往吐魯番，臨時加一節軟臥車箱，依然無水。

廿二日，上午八時在火車上看沙漠日出，半小時後抵吐魯番火車站，然後乘汽車，歷一點半鐘車程方至吐魯番市內，進入綠州旅社早餐。

十一時去參觀交河故城，歷史悠久，現僅存斷垣殘壁。接著去參觀地下水道工程—坎兒井，據說有五千公里長。居民賴以飲用、灌溉、水質清澈見底，號稱中國三大工程之一，僅次於長城與運河，下午去參觀「高昌故城」、阿斯塔那古墓，墓中有壁畫。然後又去參觀「柏孜克里克千佛洞」沿河谷山壁上開鑿，有些洞中仍存有壁畫痕跡。晚上逛夜市，都是小吃攤，有烤全羊，牛肉串等。

新疆鳴沙山騎駱駝

新疆鳴沙山騎駱駝

廿三日乘汽車由吐魯番開往烏魯木齊，相距兩百公里，車程約四小時。穿越天山山脈，山南山北景色迥異，山南荒漠，山北有綠意，偶然見牛群在河邊飲水、吃草。

十一時半抵在「達板城」休息，那兒有座馬車夫雕塑，此城因民歌家王洛賓所譜的一首「馬車夫之戀」而出名。

途中遠眺博格達峰頂被雪覆蓋，峰高五四四五公尺，白雪常年不化，也看到鹽湖，烏拉泊湖。下午二時抵達烏魯木齊，至華僑賓館午餐，下午四時至烏市郊八十公里處之南山牧場（白楊溝）參觀，該處為哈撒克族人所居處，從事農牧生活，現為一觀光景點。有不少少女牽著馬供遊人騎乘，沿山谷溪邊而上，至瀑布，來回廿元人民幣。回頭又參觀設在山坡上的蒙古包（氈房），其中備有當地新人服裝，供人拍照，晚上返回烏市，夜宿假日飯店。

廿四日，上午參觀天池，距烏市一二〇公里，車行山路蜿蜒而上，導遊介紹新疆形勢，猶「疆」字有三山即崑崙、天山、阿爾泰山（八、八〇〇米）、兩盆地。十二時抵達天池，乘遊艇遊天池一週，池面積與日月潭相若，池水清澈、湛藍，為四週山丘雪水滙集而成。岸邊亦有馬供人騎乘。下午下山，中途午餐，五時返抵烏市。晚上在一家飯店內吃烤全羊，飯前曾逛烏市地下街，夜仍宿假日飯店，設備不錯，無置身邊陲之感。

廿五日，上午由烏魯木齊飛往西安，九時十分乘新疆航空班機，航程二、二九〇公里，歷二小時四十分鐘降落西安咸陽機場，新建機場，設備新穎，完全現代化，符合國際水準，與七年前返鄉時之機場大不相同。下午去參觀兵馬俑，現已建為博物館，環境大為改善。六時參觀玉器展，七時吃餃了宴，我因肚子不適，只嚐了幾樣而已。本想順道返鄉探親，但因機票難購而作罷。

廿六日，上午參觀大雁塔，下午二時自西安起飛經香港轉回臺北，以結束八日來的絲路之旅，西安距香港一、七〇〇公里，航程二小時廿分鐘，晚上回到家已快十一點了。

台北市私立滬江高級中學董事會人事命令

（八四）滬董人字第〇〇三號

茲核定本校校長

裴尚苑 先生限齡退休自捌拾伍年柒月參拾壹日起生效。

此 致

裴尚苑先生

董事長 錢龍韜

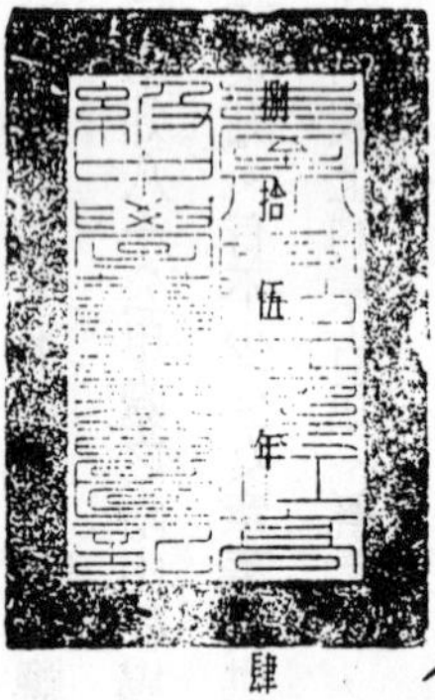

中華民國捌拾伍年肆月 日

TC14

七、申請退休

公立學校校長規定六十五歲退休，市議員及市政府要求私立學校比照辦理，原私校法規定校長可做到七十歲，但現在已不適用，董事會只好依規定辦理。於是我於八十五年六月申請退休，八月一日生效，並向董事會推薦原曾在滬江夜間部兼職而白天為建國中學教務主任的徐立先生，接任滬江高中校長。經董事長約談，董事會通過，確定由徐立先生接任。徐校長年青有為，經歷完整，作事認眞，且欲藉其任職建國中學教務主任的豐富經驗和廣泛人脈，以提高滬江聲譽。

八十五年七月十五日，於環亞飯店舉行校長交接典禮。十時同淑玉到達會場，走道兩旁擺滿了各校送來的花籃，貴賓有教育局副局長李錫津、二科湯志民科長，創辦人會主席蔣彥士、前董事長王國琦及幾位董事等都到場，公私立學校校長也來了約十位，各校主任及建中教師來了二三十位，再加數十位滬江教職員工，大家齊集一堂令會場座無虛席場面盛大。

典禮十一時開始，先由錢董事長布達，監交，贈送感謝狀及紀念品，然後分別講話，會後他們都稱讚說我講得不錯。最後由劉志良老師獻頌辭，典禮結束後即進行聚餐，我逐桌敬酒致意，約下午二時典禮圓滿完成。

廿五日學生返校，並舉行歡送式，九時於中正堂舉行，先由董事長講話，然後我向學生道別，徐校長也講了話。最後學生獻詩、獻花，典禮完成後，我分別至各班與學生握別，並接受獻花。最後穿過啦啦隊，他們送我至校門口，正式告別活潑可愛的學生們。晚上又去學校以同樣方式接受夜補校學生的歡送，場面依然感人。

滬江高級中學獎狀

裴校長尚苑八十二
學年度辦學績效優
異考績榮列優等特
頒獎狀以示激勵。

此狀

董事長 錢龍韜

中華民國 月

台北市私立

滬江高級中學獎狀

滬獎字 號

裴尚苑校長八十
三學年度考績榮
列優等特頒獎狀
以資鼓勵。

此狀

董事長 錢龍韜

中華民國八十四年九月

滬江高級中學獎狀

裴尚苑校長八十
四學年度第一學
期考績榮列優等
特頒獎狀以資鼓
勵。

此狀

董事長 錢龍韜

中華民國八十五年二月 日

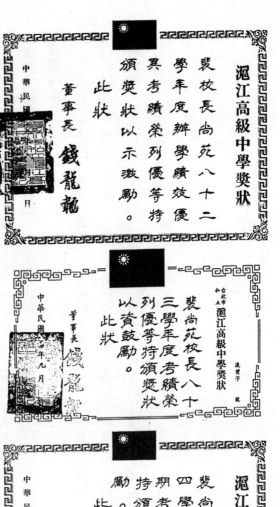

捌、退休生活

一、自由自在

自八十五年八月一日起，開始了我的退休生活，首先有一種完全自由的感覺，以前上班時，大家都盼望星期天的到來，以求身心得以舒展。但現在起我每天都是星期日了，自由自在，毫無拘束，去做自己喜歡做的事，但若茫無目的，時間久了亦會無聊，於是不得不作一妥善安排，以期生活過得更有意義，更加健康與快樂。

五月廿六日曾參加中華民國周易教育學會，初級班廿六期，研習易經，受到禮遇，被安排在前座，與會者有七百餘人，男女各半，分乾坤座，聲勢浩大，令我驚訝，上課地點在臺北縣新莊市中平國中地下室，每月一次，由吳秋文老師自臺南趕來上課。每月第二週日上午八時半至十二時半，四個小時。八十六年八月，初級班結業時，意外地獲得成績第一名獎狀及精神獎，實在是一大鼓勵。兩年來繼續不斷，從未缺課，現已進入中級班，如情況許可，希望將來還能進入高級班。

八月廿八日，又報名參加長青學苑的國畫花鳥班及書法班，每週一次，上課地點在耕莘文教院，十分方便。

另外還參加合唱團、太極拳、元極舞、社交舞等社團活動。每日清晨五時半，偕同淑玉一齊去師大分部運動，我練太極拳、她練香功，兩年多來，感覺對健康確有助益。

二、草原之旅

十月十五日，最後一次隨同私校聯招會出國旅遊，此次目的地為朝鮮、內蒙古、鄭州等地。上午十時於中正機場搭長榮BRO八〇一班機飛往澳門，歷一小時廿五分抵達。下午二時轉高麗航空飛往北韓首都平壤。二時廿分起飛，七時十分降落，飛了三小時五十分鐘。出關，乘車至平壤，天色已暗，華燈初上，但街上人車稀少，看不見繁榮景象，據說北韓有廿二萬平方公里土地，人口只有兩千萬，可謂地廣人稀。八時至高麗飯店晚餐，飯後整理行李。因明日赴金剛山，只帶簡便行李即可。

十六日，北朝鮮時間比臺北早一小時，今早六時起身，七時出發赴朝鮮東部海岸一景點金剛山，接近卅八度線，北韓正式名稱「朝鮮民主主義人民共和國」，他們仍實行共產主義集體制，據導遊說，他們有三項是完全免費即「仕房、醫療，受教育」，好像他們很滿意目前的生活方式。金日成被朝鮮人

獎狀

查裴尚苑大德於周易學會第廿六期河洛初級班精神奕奕表現良好成績優異特頒此狀以資鼓勵

此狀

中華民國周易學會

理事長　莊楊瑞澤

班主任教師　吳秋文

中華民國　十日

尊如神聖，到處可看到他的大形畫像及塑像。

上午順著他們不十分現代化的公路前進，車輛稀少，却時而見到軍人及平民在公路上步行，九時至新平休息站休息，十一時至元山市午餐。該市爲一港口，亦是一工業城。二時半開始爬金剛山，山上楓葉艷紅，山峰陡峭，風景如畫，十分壯麗，爬至三、八〇〇M處有一觀瀑樓，張目四望，雲海起伏，有如置身仙境，欣賞一會，拍照後遂即下山，來回三個半小時，胯爲之酸，晚上旅社無水，只好去洗溫泉，每人四元朝幣，水太燙，洗不舒服。

十七日，清早散步時，發現婦女們向金日成畫像獻花致敬，然後去上班。

今日順原路返回平壤，路經三日浦參觀，景色猶如臺灣日月潭，中午至元山松濤園午餐，回程經新平休息站時大家購香菇等特產，淑玉替我買支手杖，二元朝幣，一朝幣等十三元臺幣。四時抵平壤，五時去參觀朝鮮建黨七十週年慶祝晚會，於大型體育館舉行，場面壯盛，金日正親臨主持。會中大型歌舞表演，十分精彩，八時結束，回旅社晚餐。

十八日，上午前往一六八公里外的開城，十時參觀高麗博物館，有人在賣人參，天字二十要賣四三〇美元。十一時參觀板門店，兩韓對峙，前曾在南韓參觀過板門店，兩邊情況迥異。中午於板門店午餐，吃人參雞。可能由於處理不當，大家吃了有人肚子不舒服。下午四時又回平壤，參觀六九中學，有學生千人，教師六十人。五時半坐地鐵，深入地下百餘米，一九六九—一九七三完成，長三十七公里，票價一·三元。六時又參觀少年宮。七時至萬壽台（金日成塑像）參觀，八時回旅社。

十九日，清早交電話費一十二朝元，相當臺幣二八六元。上午九時由平壤機場搭JS一五一高麗航空班機飛往北京，十時四十五分降落北京國際機場，北京時間爲九時四十五分。出關時看到馬增科及季文英夫婦並帶小孩來迎接，遂一齊乘車至城內，由於導遊地陪不配合，他們中途下車，約定天安門前相會，中午與他們一齊午餐。飯後我們隨團去參觀故宮，他們便回家了。由於日前爬金剛山時，過於勞累兩胯酸痛，今日遊故宮又要走不少路，甚感痛苦。晚飯後十時廿分由北京飛往包頭。十一時半抵達「鹿城」—包頭，夜宿天外天旅社。

廿日，上午前往五當召（廟）—古老喇嘛廟，途經戰國時趙國長城遺址，下車照相，登山眺望，長城遺址隱約可見。十一時抵五當召，爲一古寺，依山層層而上，有不少建築物，但均已殘破不堪，只有三兩喇嘛在收門票，看來十分沒落。

下午二時去響沙灣參觀，在那兒有人滑沙、騎駱駝，我因腿痛，乘纜車上下，八時回包頭晚餐。

廿一日，由包頭乘汽車開往呼和浩特—內蒙首府，「呼和」是蒙語青色的意思，「浩特」是城市，即「青色城市」，有四百年歷史，八十萬人口，有八所大學。十二時至呼市午餐，然後進入「昭君旅社」。

下午三時參觀王廣亞校長所創辦的經貿外語學校，看學生表演，晚上由該校請團員晚餐，有當地政要參與，有如國宴一般，不少名貴酒菜，如駱掌等，盡歡而散。

廿二日，去蒙古大草原，了解蒙古人生活狀況。草原地勢起伏，一望無際，風大較冷，曾訪問一蒙古人家庭，他們住在磚造平房，傳統蒙古包只作樣本供遊人參觀，主人以奶茶、糖菓招待。並有簡

蒙古包外留影

蒙古包內留影

單風力發電設備。中午吃烤全羊，依當地習俗一對男女獻唱、獻酒，必須一飲而盡，充分表現豪放風格。下午返呼和浩特，然後去參觀昭君墓，可登上墓頂，展望四週景色，墓旁有紀念館，展示有關昭君文物。

廿三日，七時離開呼市，飛往北京轉飛鄭州，十一時即達，鄭州面積一百平方公里，人口一二〇萬，爲一交通樞紐，河南省人口八千八百萬。

下午三時參觀王廣亞先生創立的昇達大學，規模不小，範圍甚廣，主要建築均已完成，現有學生三千餘人。

廿四日，遊開封、洛陽，夜宿洛陽，因有高速公路相通，來往順暢，開封面積五四平方公里，人口六十萬，在開封參觀相國寺，包公祠及御街，開封有不少湖泊，酷似江南風光。午餐時吃那邊著名的湯包、童子雞等。

下午經鄭州至洛陽，中途車胎漏氣，補胎躭誤半小時，七時半才抵洛陽，天色已暗，夜宿洛神酒店。

廿五日，脫隊同淑玉返鄉探親。中午十二時半由洛陽乘火車（遊五軟座）開往三門峽。二時半抵達，票價六十元人民幣，旅行社却收我四百元臺幣。下車後侄兒錫昌來接，四時半抵達故鄉常樂鎮，在街上吃完羊肉泡饃才回家。

六時到新房，準備有床舖、棉被等，感到滿意。因有電氈，且有三床棉被，故晚上不感覺冷，七哥及水嬌妹各睡一間陪伴，使我有安全感。

廿六日，早飯後參觀新建的關帝廟—只有一間，十分簡陋，與以前古廟實不可同日而言，令人慨嘆、惋惜。

十時帶金元寶及祭品至父母墳上祭祀，並至六哥六嫂七嫂及尚貞夫婦墳上燒紙，路途較遠，繞一大圈，因腿痛走路很辛苦，直到下午二時半才回家，腿更加酸痛。

廿七日，去馬村水嬌婆家，她婆婆已九十二歲高齡，身體依然健康。九時至其長子增選家早餐，新蓋樓房及地窖，種不少蘋果，生活大爲改善。

下午去看老同學馬茂貞，身體不好，老態畢露，談片刻即辭別。三時至水嬌家吃飯，馬管收一位同事共餐，飯後至常樂鎮趕集，想打電話回臺，但無法直撥。晚上對臺辦負責人姜向貞來看我，一齊去看梁松林同學，他就住在我的新房後面。

廿八日，經三門峽至陝縣溫塘洗溫泉澡，找了一家每人廿元的溫塘，但設備簡陋，馬桶不管用，勉強住一夜，洗了幾次溫泉，水太熱，沒有舒服的感覺，據說有療效，尙待事實證明。廿九日清早到山上水利部療養院吃早餐，飯後參觀該院，亦有供人洗溫泉的設施，那比山下要好多了，票價有卅元及四十元，昨天不曉得，不然絕不在下面受罪。另有一座迎賓樓，如三星級飯店設備的套房，住一夜一二〇—三六〇元不等。九時爬至山頂，有座涼亭，四週景色全收眼底，憩息片刻，下山返程。腿仍酸痛，乘開往芮城的公車回家。卅日，熟悉故鄉環境，重溫童年舊夢，拜訪老同學裴恒泰，坐談一會，又去裴遷厚家，再去看僅存一棟正廳的裴家祠堂，「綠野家風」四字匾額依然清晰可見，不過該屋已成私人住家了，牆壁剝落，不勝唏噓！

然後又去看我出生的老院，現已填平，空留追憶。世事滄桑，令人慨嘆！晚上又有親友來坐談。北國氣溫漸漸變冷，水嬌妹爲我及淑玉各作一件棉背心，溫暖異常。

卅一日，天雨路滑不便外出，在家燉羊肉吃。下午至根昌家吃飯，堂侄應選作陪。

十一月二日，晴天，坐三輪汽車去車村舅舅家。經農田小道，泥濘滑濕，很不好走。下坡時，彎彎曲曲，更是危險。十時先到荊耀山家看了一下，他蓋了十五間新房，由其弟占山接待。參觀一下，然後去表弟焦向熬家拜訪。午餐，飯後又去表妹家看了一下，接著去小學同學員自泰家坐談，談及尚貞弟當年被迫害的遭遇，不禁使我傷心落淚。

二時半又至崖頂上焦村表兄家坐談一會。三時許結束一天訪友行程回家休息。八時姜宏達送家鄉傳統食品「氣哈蟆饃」來品嚐。

此次返鄉，本想去聞喜一趟，以探源尋根，但因雨不便而作罷。十一月四日下午由水嬌、淑玉陪同去看了一下陳菊花，她依然健康。

六日，中午請客吃飯，在常樂飯店，席開三桌，宴請協助蓋新房有關人員、同學、侄兒們。

七日整理行裝，準備明日赴西安轉回臺灣。

八日，清晨，侄孫明軍以三輪汽車送我們至常樂街上，叫一輛小車送我們至三門峽火車西站，七哥及妹夫馬管收同行。購九五次直特快車票，每人四一元。十二時廿分上車，遂即開車。二時火車通過函谷關，一路未停。下午四時即抵達西安站，改乘計程車至咸陽機場，夜宿機場賓館，每間二人房費一七〇元。然後至機場餐廳晚餐，晚上徹底洗個熱水澡。

九日，八時至機場辦登機手續時，被告知「飛澳門班級取消了」，頓時使我感到愕然，一時不知所措。經與機場人員研究後，決定改乘下午赴香港班機，當時躭心怕到香港沒有機位，但抱定走一步算一步的想法，於是西北航空公司安排我們至賓館休息，並供午餐。下午一時至機場，又宣稱飛機誤點，延至下午四時才起飛，又帶來一陣困擾。四時半終於起飛了。七時抵香港啓德機場，立即至長榮櫃台前辦轉機手續，幸好還有位置，拿到登機證才算安心。十時四十五分抵中正機場，抵家已過午夜一點半了。

三、雙飛雙宿

淑玉曾說當我退休時她亦要退休，此一願望果眞實現了。居住卅五年兼營業的店舖於八十五年十一月十九日終於被拆了。因土地屬臺灣電力公司所有，屢次索還，勉強設法拖延，最後被送至法院。經年餘訴訟，終以敗訴被拆，淑玉亦從此退休，展開我們新的生活。清早二人同去運動或爬山，定期去學唱歌，練太極拳、元極舞等。有時去吃吃小館。淑玉亦有時間去侍奉高齡父母，克盡孝道。我亦有時間去學畫及書法，一月一次易經研習亦頗有興趣和心得。自此我們每天同出同歸，雙飛雙宿，過著令人羨慕的快樂生活。

太極拳十三式：掤、履、擠、按、採、列、肘，靠此八卦也。進步、退步、左顧、右盼、中定此五行也。掤履擠按即乾坤坎離，四正方也。採、列、肘、靠，即巽震兌艮，四斜角也。進、退、顧、盼、定、即金、木、水、火、土也。合之則爲十三勢也。

四、全家環島

八十六年（一九九七）二月六日（農曆除夕），午夜二時起來，煮水餃吃後，由文德開車至新店與文正會合，我與淑玉坐文正車，文玲、淑玲、路得坐文德車，出發作環島之旅，沿北二高，兩車以無線電對講機連絡，進行順暢，至泰安站休息時天已亮，路上車輛漸多，車速減慢，由我駕駛，過員林後行車正常。十二時抵楓港，稍事休息，然後上南迴公路轉向臺東。二時至至金崙茂賓村張正喜家，坐了一下，然後開車去吃「臺灣牛肉麵」。三時至知本合家歡旅社，八時煮湯圓吃。

二月七日是農曆年大年初一，我們於臺東知本度過。上午遊覽知本森林遊樂區，一般全票百元，學生五十元，老人五元，我們全家購票進去遊覽，循山道而上，其中有一段坡度較陡故稱爲「好漢坡」，我們爬了一半，因時間關係，由中道下山。中午在旅社前休閒區煮水餃吃，下午同文玲一家會合，去參觀卑南文化史物館。該處規劃初期，尙未全部完成，以後又去「初鹿牧場」買鮮奶，然後至張正喜家晚餐，吃鹿肉，夜宿金崙「六福山莊」，是該處較好的一家，但設備欠佳，價格却不便宜，且有異味，夜難安睡，勉強住了一夜。

八日，上午上金針山，眺望海景，觀賞梅花。九時向臺東出發，順道拜訪文正同學馬道奇家，中午至鹿野午餐。

二時半至舞鶴飲茶，於北回歸線標示亭中自煮自飲其樂無窮。四時至鯉魚潭晚餐，當時天雨，找旅社住宿，看了幾家都不理想，最後住在合家歡，因無雙人房，訂了兩間三人房，設備不錯，唯蓋被不足，有些冷。

九日，清早於旅社前，溪水旁、涼亭中作運動。早餐後，經花蓮沿蘇花公路至蘇澳，午餐吃豆腐鯊、鮮魚湯。

午餐後，即轉回程，經羅東、宜蘭、礁溪，沿「九拐十八彎」的北宜公路至坪林，車甚擁擠，北宜路回堵數里之長，四時至新店文正住處，平安完成全家環島之旅。

五、中國東北

八十六年九月廿八日，由中正機場乘澳航NX六一一班機飛往澳門，十時三十六分起飛，十二時降落澳門機場，一點五十分轉機飛往北京，四時三十五分降落北京首都機場，飛了三小時十五分。出關後，參觀小吃街，七時至全聚德烤鴨店晚餐，夜宿新萬壽飯店（四星級）。

廿九日，上午由北京飛往大連。薄希來任市長，治理得不錯，街道整潔，美化綠化不亞於歐美。

住於麗景旅社，位於山腰可俯視海港，下午遊老虎灘，星海公園，電視塔等景點。

卅日，去「旅順口」。十時抵達即去參觀萬忠墓，爲紀念日本人殘害當地人的紀念館及塚墓，然後登上日俄戰爭要點二〇三高地。中午至監獄舊址午餐，質量均差，且不衛生，是最差的一餐。下午返回大連，五時至王德福火鍋城晚餐—風味餐，每人一只小火鍋，備有各種肉類及海鮮，如牛、豬、雞、鹿、蝦等，十分豐富。配上啤酒，大家都吃得很愉快，可補中午之不足。

十月一日，八時半參觀大連港，中共國慶連續放假四天，無人解說，僅登上港務局樓頂俯視港區景色。十時參觀貝雕工藝廠。

下午由大連乘火車前往瀋陽，雖爲軟座，但車箱座位不乾淨，車速亦不夠快。六時抵達瀋陽，由地陪林小姐接待。六時半至「老邊餃子館」吃餃子，夜宿商貿飯店。

二日，參觀本溪水洞，分水洞與旱洞兩部份，旱洞較短，水洞有數千公尺。八人乘一船，彎彎曲曲遊歷其中，來回費一小時，又歷兩小時車程返回瀋陽。下午參觀張學良先生舊居，仍保持完整，展示有關資料，供人參觀。

三時十分參觀滿清故宮，北陵公園。五時至小木屋晚餐—遼寧風味，其中有一盤炒大蛹，大家都不敢吃。

東北三怪：「大姑娘吊煙袋，高麗紙糊窗外，養活孩子吊起來」。東北三寶：「人參、貂皮（烏拉草）、鹿茸」。

三日，自瀋陽乘火車經四平街至長春，沿途沃野千里，農作豐收，東北實乃富饒地區。下午一時抵長春，中餐後參觀滿清皇宮，傅儀住處，有傅儀生平事蹟展。然後又去參觀長春電影製片廠，由一女士解說，看了幾處實景，效果製造及特技表演等。晚餐吃東北風味餐，多與韓國菜類似，且有狗肉，多不敢吃，我因肚子不適僅吃麵條。夜宿名門飯店。

四日，由長春乘火車至吉林。十一時半抵達，導遊為一男性姓張，介紹吉林概況，松花湖給吉林帶來綺麗風光。中午至銀河大廈午餐，夜宿該處。下午遊松花湖，參觀孔廟，北山公園，半山有關公廟，但門關著，在廟前欣賞湖光山色，風景秀麗。六時至清香園吃「三套碗」風味餐，菜肴不下數十道，但臺籍團員有些不適應，無福消受。

五日，由吉林至哈爾賓。下午一時抵達，坐了五小時火車，下午參觀極樂寺，該寺建于民國十三年，廟門口有不少乞丐向旅客乞討。三時許又去參觀文廟，票價內賓十元，外賓廿元，不平待遇。該廟建於一九二六年，一九八五年重修。

四時半逛百貨公司，秋林百貨由俄人經營，在那兒買酒心糖。六時至華僑飯店晚餐，有熊掌、猴頭菇、四不像、鹿肉等，號稱「飛龍宴」，也是一餐特別的風味餐。夜宿新世界旅社。

六日，上午遊松花江及史達林公園。下午遊江北太陽島、逛中央大街、參觀聖索非亞教堂，為拜占庭式建築。六時至天鵝餐廳吃「俄羅斯大餐」，有麵包等，並不如想像的好。

七日，清早同淑玉逛地下街買衣服。下午由哈爾賓機場搭四川航空六〇二班機飛往北京，航程一

○二六公里，一時半起飛，三時降落。出關後即開往天津，經高速公路六時抵達，遂至食街「孔府家酒」晚餐，有水餃，無麵條。飯後逛食街，買鴨梨，為天津特產。夜宿津利華旅社。

八日，上午參觀寧園，司機路不熟，躭誤不少時間。園中有一塔，以一元票價乘電梯昇至塔頂，眺望天津市景，然後參觀人悲院，沿途乞丐很多。午飯後逛文化街，淑玉不慎將水晶品碰破，結果賠了五十元人民幣了事。

三時又循京塘高速公路返北京，遂至機場搭澳航NX○○一班機五時三十五分起飛，八時二十五分降落澳門機場。又轉澳航NX六一二班機，十時二十五分起飛，十一時三十五分降落中正機場，回家已是午夜一時二十分了，圓滿結束十一日的中國大陸東北之旅。

哈爾濱的飯店幌子：紅色係由漢人所開的，藍色係由回族所開，黃色為素食。掛一個表示係普通飯店，兩個表示有酒有菜，無人掛三個以避「撒謊」諧音，四個為高級飯店，可辦酒席。

六、返鄉尋根

籌劃已久的全家返鄉尋根之旅，終於民國八十七年（一九九八）三月廿八日展開了。在出發前夕次媳淑玲意外地將腳跌傷了，左腳小指骨裂，雖經醫治包紮，但行動不便，曾考慮是否同行，經研究結果決定還是一齊前往，於是她便帶著兩支拐杖，隨同全家一齊出發了。清早四時起床，整好行李、吃完早飯，乘專車沿北二高開往中正機場。六時抵達，與同鄉陳季龍夫婦及其長子陳國翔先生，尋國棟先生及其長子尋冠華先生會合，加上我們全家六口，共十一人，遂即辦理登機手續，八時三十分登機，八時五十三分起飛，十時十二分降落香港啓德機場，隨即轉機，十一時四十分登上民航CA一〇二班機飛往北京，航程二一四〇公里，飛行二時四十分於三時六分降落北京首都機場，當地氣溫19℃，四時二十分中旅導遊來接，遂乘車參觀天安門廣場，我已來過多次，但年青人乃是初次，感到新奇，照相留念。以後又參觀北海公園，至動物園餐廳晚餐，夜宿中苑酒店。

三月廿九日，清早到旅社外運動，當地亦有人群在運動、跳舞、打拳。上午去參觀十三陵及長城。十一時登上八達嶺好漢坡，當時風和日麗，遊人如織，文德以七十元買了一頂長毛圓帽。下午參觀同仁堂，該堂由樂顯揚於一六六九年創立，曾爲御醫，用藥謹愼，聲名遠播，歷史悠久。五時又去參觀福壽寺。晚上增科全家至旅社會面坐談。

三月卅日，參觀頤和園及故宮。先至頤和園，此次由東門進入，沿昆明湖旁長廊西行，由西門出來，未上萬壽山，與上次不同，如此一來我全園可謂都欣賞到了。然後去故宮，由午門進入，沿縱線北進，一宮一殿，逐一參觀，最後由神武門出來。下午去天壇，範圍遼濶，有設計奧妙的回音牆。晚上乘夜車開往大同。

三月卅一日，清早六時四十五分火車抵達大同車站，地陪導遊前前來迎接，改乘十六人座汽車，行李裝在車上後座，開往雲岡賓館早餐，自助式中菜，有稀飯、饅頭、包子等，家鄉口味，十分可口。飯後參觀雲岡石窟，當時大雪紛飛，一片銀色世界，幾位年青人自小在臺灣生長，從未見過如此大雪，這一下可樂啦，眞是一次難得的經驗。

中午至大同市看九龍壁。下午開往五台山，途中順便登上懸空寺，有些驚險，門票每人十六元。然後路過「北嶽恒山」標示牌樓。四時半，天色陰暗，車行至半途，雪地路滑，爬坡困難，前車翻覆，致車塞里許，心想愈前進，恐怕路況更加艱困難行，而且夜行山路勢必更加危險，遂與同伴商量，爲求安全，決定折返大同，放棄五台山，留待下次再去吧！於是夜宿大同雲岡賓館。

四月一日，上午由大同出發，沿大運（大同至運城）公路南下沿途大地均被白雪覆蓋，看不到煤灰污穢，經朔州，至寧武山頂時，車輛堵塞一小時，山西北部僅此一山，其餘皆沃野平原。下午二時至忻州午餐，四時半進入太原市，進住賽特大廈。太原工廠林立，煤煙四起，空氣污染嚴重，天空灰濛濛一片。

四月二日，清早漫步至兒童公園，園中有一水池，猶如臺中公園，沿池邊有很多人在運動，有成隊在體操，有的打太極拳，也有跳秧歌、散步的，不一而足，我同淑玉沿池轉了一圈，便回旅社早餐。八時去參觀晉祠、雙塔寺、崇善寺。下午離開太原市再沿大運公路南下，至平遙看保存完整的古城牆，五時至介休又進入山區，靈石縣境全是山地，七時至洪洞縣天色已暗，去挑燈參觀「遷民遺址」——大槐樹，當時參觀時間已過，大門關閉，經交涉後才特爲開門引導挑燈參觀，一償尋根宿願。夜行至臨汾，宿於臨汾賓館。

四月三日，臨汾爲堯帝故都，城中鼓樓依然完整無缺。清早仍順大運公路南下，至曲沃縣經禮元鎮造訪裴柏村，晉謁裴氏宗祠，僅三間平房一棟，十分簡陋，內置由韓愈撰書表揚裴度石碑一塊，祠旁另有一廣場，預備另建雄偉宗祠，現樹大石碑一塊上刻裴氏六世祖陵及其他幾位先祖畫像，供人祭拜，我們全家於碑前祭拜、祈福，以實現尋根願望。緣常樂裴氏係於宋初為避兵亂，自聞喜移居平陸縣常樂里。因時間所限不克深究常樂裴與聞喜裴的輩分關係，僅將我於七十八年（一九八九）修訂之常樂裴氏家譜留了幾本，以供參考。

下午一時離開裴柏村，繼續南下，經中條山時又遇塞車，堵了一個小時，四時經黃河大橋頭，終於在五時許抵達常樂鎮—我的故鄉。

四月四日，至馬村水嬌妹妹家拜訪。四月五日清明節，全家及兄長子侄們數十人，去上墳掃墓祭拜。文正、文德及兩位媳婦均係初次回鄉祭祖，意義非凡，然後又帶他們去參觀常樂裴氏宗祠—現已被人佔住；我的出生地—老院已被塡平。又去街上趕集（每逢陰曆三、六、九日有市集，該日為陰曆三月初九），以了解常樂風情。

四月六日，等尋國棟父子自永濟來後，便離開常樂鎮向三門峽出發，經過張裕村同陳國翔一齊開往洛陽。一行九人乘一部十六人座旅行車，行李隨行，十分方便，夜宿洛陽新友誼酒店。文正翠娟當晚出去打電話遭到當地人敲詐，經公安查證後才解決，回旅社已近午夜。

四月七日，有一位地陪劉小姐隨車導遊解說，據說每年四月十五日起，在洛陽王城公園有牡丹花會，我們早了一個星期，花會尚未開始，只看到街上花圃中有些含苞待放的牡丹花。上午去參觀龍門

闔家攝於山西省聞喜縣裴柏村裴宗碑前

闔家於山西省聞喜縣裴氏宗祠前（右三爲宗祠管理）

先父母墓碑前留影　八十七年清明節　（左係侄孫裴明星）

全家攝於常樂自宅庭院（左三姜宏達）　八十七年清明

石窟、關林、白馬寺，下午參觀少林寺，該寺正在整修中，與初次去看的情況大不相同，環境改善多了，附近已成鬧市，我們看完塔林後，便離開洛陽，前往鄭州，五時抵達。參觀黃河博物館，黃河沿岸共有數十處水庫，發揮防洪，灌溉及發電多重功能。

晚上由鄭州搭火車「軟臥」開往西安。

四月八日，清晨八時抵達西安火車站，由一位李姓導遊來接待，先把我們帶到建國旅社，原訂萬年旅社因開國際會議臨時改至此，並未經我們同意，且不在主樓而被安排在寫字樓，設備較差，顯然受騙，後經交涉退費以作補償。

上午參觀半坡遺址，展示中華民族先民生活狀況，中午至華清池參觀，已大加整建，恢復舊觀，看到楊貴妃浴池，蔣中正委員長蒙難處。下午參觀兵馬俑，晚餐時吃餃子宴，本擬看歌劇表演，因受不平等待遇而拒看。（當地票價五十元，臺胞要一一八元）

四月九日，上午參觀動物園，有熊貓兩隻一棕一白，引人注意。十時登上西安南門城牆，城牆甚寬，可行四線車道，比長城寬一倍強，登城遠眺，內外景色均收眼底。下午至咸陽機場飛往香港，轉回臺北，結束了十三日的全家返鄉尋根之旅。此次將山西省自頭至尾「走透透」。

七、三上黃山

民國八十七年（一九九八），五月十九日，隨同中華民國周易學會，各地易經班前三名所組成的朝聖團，前往中國大陸參訪朝聖。上午十時於中正機場乘澳航NX〇六一七號班機飛往澳門。中午抵達與由高雄去的會友會合，共卅五位，遂轉機飛往青島。出關後，由導遊滿小姐接待，乘車去遊八大關之一—山海關路，該路濱海，風景幽美，附近多爲名宅，曾至蔣公當年住處門前留影。夜宿五星級麗晶酒店，與謝彬先生同室。

五月廿日，上午乘車至嶗山參觀太清宮，爲道教道場歷史悠久，古木參天，現仍有道士在修行，觀光客絡繹不絕，下午返回青島參觀棧橋，爲古行船碼頭。然後沿濟青高速公路前往山東省會濟南，路過臨淄孔子聞韶處。八時許至濟南晚餐，吃素餃子。夜宿中豪飯店。

五月廿一日，清晨散步至護城河邊，看有人在打太極拳，我也隔岸隨著打了一回。上午開往曲阜，參觀孔林，範圍甚廣，四週有圍牆，其中數千年古柏隨處可見，我們一行拜完孔子墓，即出林園，曲阜因孔林而繁盛。然後又去參拜周公廟，不像孔廟那樣堂皇，路過臨沂台孔子述志處。五時至孔子出生地—尼山，旁有尼山水庫，上有尼山書院，下有「夫子洞」，傳爲虎乳孔子處，不少古蹟，大家爭相照相留念。六時回曲阜，夜宿闕里賓舍。並遊曲阜夜市。

五月廿二日，八時參觀孔廟，共進十道門才進入大成殿，沿途由吳秋文老師講述孔子故事。以後又參觀孔府，顏子廟、陋巷。下午至鄒縣參觀孟廟、孟府，亦然古木參天，白鷺翱翔，一派安祥景象，有些地方仍在整修，以吸引觀光客。六時至泰山桃花源纜車站，乘纜車（六人一車）登泰山，山頂風大，寒冷，沿天街有出租大衣供遊客穿用，我們晚上住在神憩賓館，室內潮濕，用水不便，備有棉被及大衣。

五月廿三日，清早四時起身，穿上大衣，冒著寒風，上觀日峰看日出，但當時天陰霧濃，未能如願，五時雖有曙光微現，但終未看到日出，失望而返。

七時半參拜泰山孔廟，爲全國最高孔廟。經碧霞祠至南天門等處，舉目四望，實有「登泰山而小天下」之感。觀罷山景又乘纜車下山。山下岱廟，建築宏偉，頗具規模，範圍廣大，其中有三千年古柏，仍生氣昂然，枝葉茂盛，看完岱廟，便往濟南。下午參觀著名的趵突泉，但現在泉已不再冒水，保留遺址，供人參觀，不過漱玉泉仍湧出如玉泉水，晶瑩剔透，清澈見底。五時冒細雨遊大明湖，湖面遼濶，湖水滿盈，湖中不少人造水鴨，以傘綴成，五顏六色，以吸引遊客，我們乘船遊湖，轉了一圈。

晚上由濟南乘火車開往南京。

五月廿四日，清早在火車上，打開窗帘，欣賞沿途江南風光。九時抵達南京北站，當地導遊來接，遂乘車至南京醉仙閣用早餐，自助式，花樣繁多，有麵條、豆花、粽子、包子等，盡情享受，吃得很舒服。十一時冒雨參觀中山陵，我已來過四次了。施太太買雨衣給我穿，令我感激。以後又去明孝陵前轉了一圈，未進去參觀，我想是導遊偷工減料，給省略了。隨後被他安排到紀念品賣場，讓大家採購。二時去遊玄武湖時，大夥兒又被帶去珍珠館，消磨了一小時，四時由南京站乘火車赴銅陵。晚上乘車上佛教聖地九華山，午夜方達山下，夜宿聚龍旅社。

五月廿五日，八時背著背包隨團登九華山，雖有階梯但坡度甚陡，拾級而上，有些吃力，氣喘吁

裴尚苑於九華山頂長壽松下留影

裴尚苑（左）吳秋文老師（右）於山東尼山夫子洞內合影

吁，因我係團員中年齡最長者，其次爲臺南來的劉媽媽，怕我倆趕不上隊伍，故讓我們走在前面，劉媽媽由兩位年青同學陪伴著她，施太太陳美貴女士看我太辛苦，要幫我背背包，我執意不肯，她却堅持要幫忙，眞心誠意，令我感激不已。歷一小時，到達百歲宮又名萬年禪寺，大家在那兒賞景拍照。十一時至回香閣與當地主持探求藕益大師論佛與易經的關係。下午至鳳凰松索道站，乘纜車上九華山頂，至天台山索道站，再拾級登上極頂，舉目四望，群山皆在足下，伸手可探天日，雲海時而浮現，似有置身仙境之感。四時又乘纜車下山，五時參觀肉身殿，殿前匾額題「東南第一山」，殿中祀奉地藏王菩薩，得知地藏王菩薩原係韓國人，至九華山修行成佛。

五月廿六日，上午由九華山前往黃山，歷三小時抵達太平索道松谷站，此爲新建索道，使用大型纜車，一次可載百人，我乘纜車上黃山，此爲我第三次登黃山，每次情況各有不同。第一次來時，天氣晴朗，晨間可看雲海，午間所有美景一覽無遺。第二次來時，適逢天雨，視線有限，所有景點均在濛濛雲霧中，別有一番風情，這次又是晴天，但未看到雲海。中午在西海飯店午餐，下午遊始信峰、獅子峰，北海前看猴子觀海，排雲亭看晚霞。

五月廿七日，清早四時起床，穿著禦寒衣服去北海前獅子峰看日出，天氣晴朗，五時十分，太陽由山間慢慢升起，大家急忙選好有利位置，作出「雙手托日」狀讓人攝影留念。然後返回旅社早餐，旅遊期間，全吃素食，我亦漸漸習慣了。上午遊光明頂，海拔一八六〇公尺，爬坡辛苦，陳女士又替我背背包，我尊稱她爲「活菩薩」，在飛來石前曾留影紀念。本擬續遊蓮花峰，但因停電，索道關閉，於是在山間路旁休息，同幾位年青遊伴唱歌自娛，無限歡樂。然後由白鵝嶺乘纜車下山，至屯溪桃花溪旁「黃山大飯店」午餐。下午至黃山市，進入「黃山國際大酒店」休息。五時參觀博物館，十分簡陋，但樓下却爲國畫及藝品賣場，然後遊屯溪老街。全爲紀念品、土產、藝品店，大家紛紛購買，以便回去餽贈親友。因明天便要回家了。

五月廿八日，上午由黃山乘機飛往深圳，相距一〇三五公里飛行一個半小時於十時半降落深圳黃田機場，然後去參觀吳董事國誠實業公司的工廠。三時許至中山縣翠亨村參觀孫中山先生故居。爲二層樓房，陳設中山先生遺物。

五時經珠海特區轉往澳門機場，八時登機，九時五十安然降落中正機場，完成朝聖之旅。

此次旅遊前後十日，參拜過嶗山道家道場，曲阜孔府孔廟以及九華山的佛教聖地，登上嶗山、泰山、九華山及黃山四座名山，沿途聽吳秋文老師講述有關歷史故事，眞是獲益非淺，又認識了不少易經同好好友，實在難得。

玖、環遊世界

一、初次出國（兩度日、韓）

「第三屆泛太平洋私立學校教育聯合會」，於七十年十月五、六兩日在韓國舉行，當時王校長不去，要我代她出席，我為首次出國，感到興奮與新奇。日韓十一天，費用三萬六千，學校貼補往返機票半數，餘數自付，我決定前往。

十月四日，隨團赴南韓參加泛太平洋私校會議，然後轉日本觀光，一行卅人，除我之外都是私校校長或董事長，於十月十四日返抵臺北。此為我首次踏出國門，甚感新奇。

七十二年四月，再度獲得出國機會，緣臺北市教育局組成日、韓資訊教育考察團，出國訪問，有十餘位校長及教務主任報名參加，但都是男性，僅王校長一位女性，有所不便：故她決定要我參加。遂即填報名表，並請李敏芳老師駕車帶我去教育局送交高專員，完成報名手續。

廿九日上午十時四十分由中正機場飛往南韓漢城，歷一時五十五分鐘抵達—金浦機場，崇實高中校長金昌杰及校監朴熙昱先生在機場迎接我。晚上招待我在華克山莊看表演—民俗舞歌，並送我一簍大梨子及蘋果，我也將帶去的禮品回送給他們。

卅日清晨韓國漢城室外氣溫只有四度，十分寒冷，當天我們參觀漢城大學電算中心及工學院，下午四時即至機場，金校長及朴先生又去送行，並送我糖果盤一只及人參一盒，盛情感人，六時登機，八時抵達日本大阪。

五月一日，到京都參觀卅三間堂、金閣寺、平安神宮，然後開往名古屋，夜宿第一富士大旅社。

五月二日，參觀小牧高工，學生進門即換拖鞋，學校很乾淨，技能檢定及格率爲90%，成績不錯。下午乘新幹線火車「閃光」號至東京，夜宿東京「帝國大廈」，氣派非凡。

五月三日，搭機飛往北海道，至啤酒廠喝生啤酒吃烤羊肉，然後看世運滑雪場，下午至札幌市，北海道一片枯黃，人煙稀少，牧畜業盛。

五月四日，參觀「北海道立教育研究所情報處理中心」，他們均以電腦作業，經「中山峠」時賞雪景，再至洞爺公園，看昭和新山—活火山。洞爺湖，下午至苫小牧看「白老部落」夜晚乘遊輪，次日中午抵達仙台港。然後乘車往日本三大名勝（松島、宮島、天之橋）之一松島，乘遊艇遊松島，海中小島四散，海鷗群舞，爭食遊客散發之食物，隨船追逐，十分有趣，並參觀宮城—青山公園，夜宿「仙台東急旅社」。五月六日，參觀「仙台工業高等學校」，該校有廿年歷史，但設備陳舊，且無電腦，讓我們看日本學校的另一面。下午到達鬼怒川，夜宿鬼怒川溫泉旅社，洗溫泉、著日式浴服、食日式晚宴，大家喝酒、唱歌、跳舞、行酒令，樂甚。

五月七日又至東京，游迪斯奈樂園，坐太空火箭，十分刺激，甚至有些恐懼，下次再也不想坐了。晚餐由工農吳校長朋友請客，吃中國菜，喝不少酒，賓主盡歡，夜宿王子旅社。

五月八日，自由活動，去橫濱逛中華街，曾托一位山東人許志誠，爲家中寄回一萬五千元日幣，以後才知家人並沒有收到，這筆款項不知問題出在人的貪婪或郵電的疏失上？

五月九日，參觀「千葉縣立高商職校」，該校有情報（資訊）處理科兩班，與電腦有關課程每週有十七小時之多，簡報後看學生實習，感到他們教學十分踏實。下午至「福壽莊」，參觀養老院揭幕典禮及院內設施，十分方便安適。以後又去參觀「船橋市立船橋高等學校」，該校亦有商科，電腦設備較新。晚上至吳校長朋友家晚餐，日式個案，不少當地議員、名人作陪。飯後並每人贈送一包海苔。

五月十日，爲旅遊最後一天，上午逛免稅店，購物。中午在銀座雞餐廳午餐，下午大家又去橫濱，然後直往東京羽田機場，六時登機，廿分鐘後起飛，經三個小時於八時許安抵中正國際機場，結束了十二日的參觀旅遊。

二、東南亞遊

七十六年七月廿五日起至東南亞作五國十四日遊，先至菲律賓首都馬尼拉，看到貧富差距甚大，國民所得月入約爲三千臺幣。次日，遊百勝灘，船夫辛苦，令人同情。

廿七日至馬來西亞、吉隆坡，比菲國要進步得多，參觀黑風洞，爬二七〇級階台，印象深刻。廿八日下午至麻六甲，逛夜市初嘗果王—榴槤。

廿九日下午進入新加坡，在車上導遊一再強調不能亂丟垃圾，所以新加坡以「乾淨」著稱，六三六平方公里土地，二五七萬人口，以轉口業、工業及觀光收入維持生存發展。我們參觀了印度廟並遊聖淘沙島。次日又參觀虎豹別墅、鳥園、魚尾獅—新加坡的標誌。

卅一日至泰國曼谷，中午皇宮大酒店用餐，服務生腳踩滑輪送菜為一特色。然後參觀鱷魚潭及大象表演。泰國有六萬間廟，男人個個當和尚，八月一日參觀玉佛寺，下午去巴達雅距曼谷一五〇公里，晚上看人妖表演，次日，乘船遊珊瑚島，中途船停海中，讓人乘汽艇、水上摩托、射擊、乘降落傘等，中午上岸午餐。回程風大，不少人暈船。

八月三日上午參觀芭東園，為一陳姓華人所有，範圍甚大，規劃不錯，風景迷人，有歌舞表演，大象表演，餐廳、人工湖等，活動拍照歷三小時，下午返回曼谷。

四日上午遊湄南河、參觀水上市場，但河水甚髒、環境很亂、人民貧脊，泰國民情由此可見一端。下午則參觀五世皇居、毒蛇研究所。

五日上午參觀金佛寺，其中有以五五〇〇公斤黃金塑成的金佛一尊，遊客甚多，下午參觀中央百貨公司，規模不小，居泰國第二。然後飛往香港，晚上給文正通電話，得知他考取國立技術學院。

六日遊香港淺水灣、海洋公園、乘纜車、看海豚表演、跳水表演等。下午逛中國國貨公司，以三〇〇美元購相機一架。

七日，自由活動，與林杏琳同學相會，請其帶我去爲大哥寄錢，因未帶入境證雖有護照，銀行仍不給兌換旅行支票，無奈只好將身上僅有現款八〇〇港幣換三八〇元人民幣寄給大哥裴尙吉。

晚上八時三十五分飛抵桃園中正機場，結束了十四日的五國遊。

三、美加赴會

八十年十月十一日，隨同私校協會赴加拿大溫哥華參加泛太平洋私校校長會議，十二時由中正機場乘國泰航空下午一時飛往香港之班機，五時轉機直飛溫哥華，並未滿座，於是找一靠窗坐位坐下，因係第一次赴加，不時注意著銀幕上的飛行狀況圖，由香港經臺灣上空，沿日本沿海經伯令海峽，度過換日線，轉至加拿大溫哥華，歷十一小時，當經過換日線時，臺灣時間是午夜三時，但機窗外却是大白天，飛行高度三萬九千呎，時速六二六M／PH，四時三十五分著陸，一小時後出關，巧遇韓國崇實高中校長金昌杰亦去卦會。八時進入旅社，當地時間爲午後三時。七時參加歡迎酒會。九時遊史坦尼公園，登山鳥瞰溫哥華全景。

十二日正式開會，九時三十分全體大會，午餐時與金校長交談，下午大會安排再遊史坦尼公園，彩色楓葉將公園裝飾得格外漂亮，其中有不少原住民圖騰，四時參觀一所私立學校，規模不大，設備不錯。晚上王廣亞理事長宴請中國代表晚餐。

十三日，繼續開會，上午爲兩節專題報告，下午由各參與國報告各該國教育概況，我國由強恕鈕

裴尚苑（左）王廣亞（中）金董事（右）於加拿大溫哥華泛太平洋私校校長會議會場合影

主席台上留影

廷莊校長報告，晚上由日本會長請客，各國表演節目，我們唱中華民國頌及高山青，會中各發一頂牛仔草帽。

十四日上午繼續由各國報告及問題討論，結束前會長宣布下次開會地點在馬來西亞，十一時結束。下午各國代表分別賦歸或旅遊，我國代表團乘車渡船遊維多利亞島，夜宿島上一小旅社。

十五日上午遊馳名的布恰（Butchart garden）花園，十分精緻，値得一遊。下午回溫哥華轉往美國華盛頓州，駛往西雅圖，參觀華盛頓大學，湖面輪船升降技術。太空針塔六〇五呎高，八時晚餐後進旅社休息。

十六日，風雨甚大，因之改變行程，本擬參觀波音公司，因路遠雨大，改看飛機博物館，部份團員先行返臺。其餘於十二時搭聯合航空班機由西亞圖飛往舊金山，歷時兩小時。下午再轉機飛往賭城拉斯維加斯（Las Vags）該城位於沙漠地區，但市景繁榮，霓虹燈炫耀奪目，爲一觀光勝地。夜留旅社看歌舞表演，並參觀賭場。

十七日，本擬飛往舊金山；經芝加哥再轉往加拿大多倫多，但因飛機脫班，由航空公司免費招待，供晚餐，且每人發一張三五〇元優待券，夜宿芝加哥凱悅飯店。

十八日，飛抵多倫多，逕前往參觀尼加拉瓜大瀑布，登船觀瀑，水聲隆隆，水花四濺，聲勢驚人，偶有彩虹出現，水鳥飛舞，風景絕佳，嘆爲觀止。歷半小時上岸，又有楓葉片片，令人陶醉。六時遊多倫多市，參觀全世界最高（一八一六呎）之廣播電視塔（CN），夜宿假日旅社。

十九日，清晨與長子文正通話，九時參觀多倫多大學，中午開往渥太華，路途遙遠，車上講笑話解悶。下午四時抵達渥太華，參觀和平塔，塔頂鐘聲每隔十五分鐘一響，正前方廣場中央有一「百年之火」，永不熄滅。五時開往蒙特利，相距一二〇哩，九時夜遊看表演。

廿日，早上與慶堂通話並約好晚上同文玲一齊在紐約旅社會面，上午參觀大教堂及世界奧運體育館，逛蒙特利舊街購紀念品。下午再度進入美國，車上檢查護照，遂進入紐約州，中途在一家大百貨公司午餐，購物，中途塞車令我心急，因與長女文玲約好，唯恐有誤，結果於十時十分終於抵達旅社，看到慶堂、文玲及路得，喜不自勝。

廿一日，清早慶堂便回去了，文玲帶著路得同我們一齊去參觀「自由女神」，中午又回紐約在錦江飯店午餐。下午登上帝國大廈一〇二層，鳥瞰四面景色，發現紐約乃一狹長半島，街上黑人很多，街道並不乾淨，不過人來人往，堪稱熱鬧。據說常發生搶案，令人不安。

在紐約參觀了聯合國大廈，逛第五街，進入米西百貨公司，買衣物、絲襪及帽子。晚上吃大龍蝦，一客二十一美元，可惜乏味，夜宿新澤西州。文玲與梁惠萍連絡，約定明天來接她。

廿二日上午飛往華盛頓降落杜勒斯機場，然後參觀國會大廈、白宮。下午看林肯紀念堂、傑佛遜紀念堂、威靈頓公墓，結果迷失方向，在裡面走了兩個小時才摸出來，腿為之酸。

廿三日清晨五時起床，開往維吉尼亞州看鐘乳石，歷兩小時車程抵達魯瑞山洞（Lurary Caverns）九時開放，由該處一位小姐導遊解說，規模比不上桂林「蘆笛岩」，但有其特色，半小時後出洞，又乘車返華盛頓，中途吃肯他基炸雞，早餐午餐一併解決。下午由杜勒斯機場飛往洛山磯，六時二十分降落史丹佛機場，遂即轉機飛往洛山磯，九時五十分抵達。晚餐後午夜才得進入旅社休息，度過最長的一日，眞辛苦！

廿四日，上午至百貨公司購物，接著便要搭機返國了。下午一時五十分登機，二時二十五分起飛，由洛山磯飛往香港。航程六、六四五哩，中途因氣流不穩，曾發生陣陣擺動，令人心驚。五時三十分降落香港啓德機場，整整飛了十五小時，好累噢！當時香港時間爲下午八時三十分，遂又轉機飛往臺北，十一時降落中正機場，最後搭莊敬中學王顯庭董事長車回家，已午夜一時三十分了，結束了美加之旅。

四、越南參訪

民國八十一年十月十八日，隨同私校聯招會校長們去越南參觀訪問，八時一刻由中正機場直飛胡志明市（原名西貢），十一時廿五分降落新山一機場。越南與臺灣時差慢一小時，夏校長通關時因申報錢數與實際不符而惹來麻煩，費些口舌。

中午市區午餐，出餐廳後被一群大小乞丐包圍，王廣亞校長被扒不少美金及信用卡，事後才發現，立即止付掛失。

下午參觀天后聖母宮及歷史博物館，夜宿水上旅館，觀賞西貢河上夜景。

十九日遊「古芝地道」，爲越戰時越共爲避美機轟炸而擴大挖掘，共有二五〇公里之長，彎彎曲曲。有些地方上下三層，地道高約八十公分，寬五十公分，僅容一人曲身而過，甚至有些地方僅能由瘦小的越南人匍匐穿過，高大的美國人則無法通過。據說地道可直通西貢河，頗有情調。

下午參觀「獨立宮」及「美軍罪行展」，看炸彈王，有六噸重，上端附有降落傘。晚上於船上用餐，邊用餐邊遊西貢河。

廿日去遊「下龍灣」，由西貢機場搭機至河內－越南首都，改乘汽車開了六小時，晚上七時許才抵達。中途上廁所小解時，有人遭當地人找麻煩，費了不少口舌才化解，夜與胡樹斌校長同室，鼾聲使我無法入睡。

廿一日，八時乘船遊下龍灣，該處有三千圓形小島浮現海面，星羅棋布海灣中，形成壯麗景觀，有人稱爲「世界八大奇景之一」，其中有一鐘乳石洞，規模並不大，但有其特色。下午又坐六小時汽車返回河內。晚餐甚差，沒有吃飽，然後遊夜市，大家搶購玳瑁。

廿二日，清早漫步河內街頭，看到不少擺攤賣早點的，頗富越南特色，但爲安全起見，不敢嚐試。以後又看到一處菜市場及一所小學，設備簡陋，教室僅一塊黑板，桌椅破爛不堪，且大小不一，學生面帶菜色，衣衫襤褸，令人憐憫。上午十時由河內搭機飛往曼谷，中午抵達，下午開往「金剛島」，在那兒晚餐、看山地舞表演，不甚精彩。因係露天，蚊子很多，遂返旅社。

廿三日，在曼谷參觀玉佛寺及皇宮，因已來過故不覺新奇。下午看金佛寺、大理石寺、逛百貨公司。逛夜市時，七人共擠一部計程車回旅社，印象深刻。

廿四日，上午乘船遊水上市場。下午搭機經香港返臺北，完成越泰一週遊。結果行李不見了，一週後又被送回，失而復得，喜出望外。

五、澳紐觀光

八十二年一月廿九日，由救國團辦的高中校長澳紐訪問團出發了。一共卅一位團員，我和淑玉與之同行，其中有十一對夫婦，一大早至中正機場乘七時華航班機往香港，因淑玉未辦港簽，不克入境；只得在機場轉機處徘徊，直等到下午五時才乘澳航班機飛往澳洲雪梨。航程七三五〇km，飛行時間八小時三十五分，五點五十分起飛，次日凌晨二點三十分降落雪梨，當地時間為五點三十分，時差三小時。出機場後即作雪梨市區遊覽，經過海彎，當地為夏季，有不少人在游泳，然後至著名的歌劇院，建築型式特殊，舉世聞名。中午在遊船上用餐，下午遊免稅商店，晚上參觀唐人街、坐捷運、登雪梨塔，夜宿金門旅社。

卅一日，遊藍山，由油加利樹所形成的藍色山谷，其中有一處山形像三姐妹，有著一段傳奇故事。然後去坐垂直行駛小火車，原為運煤所設，現為一觀光景點，下午至澳洲首都坎培拉，晚餐後即入旅社休息。

二月一日，坎培拉市區觀光，先至一小山頂鳥瞰全景，該市為一有計畫開發的都市，由山頂向下望去，自戰爭紀念館有一條觀光大道直過國會大廈，中間經過一座人工湖，湖中噴出一股水注高達八一公尺，十分壯觀。下山後參觀戰爭紀念館、國會大廈、大使館區，中共大使館係中國傳統式宮殿建築，很有特色。下午又回雪梨，七時抵達，八時逛街，晚上又乘機飛往布利斯班，次日凌晨二時方達。

二月二日，參觀植物園，看剪羊毛表演，那兒男廁以公羊RAMS表示，女廁爲母羊EWES，令人莞爾。午餐吃小羊排，下午上山看全景。四時參觀鳥園，坐小火車，餵五彩飛鳥，十分有趣。

二月三日，清晨至黃金海岸沙灘上散步，海濤洶湧，一望無際，令人心胸開濶，晨光映沙，相當迷人。我們在海邊享受晨光美景，心曠神怡。十時去參觀海洋世界，那兒有海豚表演，滑水表演，並可坐空中小電車、小火車、空中纜車等。坐海盜船經過古煤礦區，驚險四伏，不時聽到旅客尖叫聲。

二月四日，自布利斯班飛往紐西蘭北島奥克蘭，與臺灣時差五小時，下午六時半抵達，先上伊甸山看全市景色。

二月五日，由奥克蘭南下至威吐摩，參觀世界奇景螢火蟲洞，搭小舟泛遊地下湖，其間頂部螢光閃閃，恍若繁星點點，實一奇觀，下午至羅吐魯阿參觀彩虹鱒魚，野豬，紐西蘭國鳥—奇異鳥。晚上看原住民毛利人歌舞表演。

二月六日，上午參觀毛利族文化村，附近有地熱、溫泉，土著以溫泉煮玉蜀黍。由義大利人所設計之懷瑞基地熱發電廠便在附近。今天由羅吐魯阿前往威靈頓，途經陶波湖（Taupo　Lake），遠看山頂有積雪，湖光山色，風景秀麗，一路南行，下午七時抵達紐西蘭首都—威靈頓，遂即參觀國會大廈，上山頂鳥瞰全景。

二月七日，由威靈頓飛往紐西蘭南島之基督城。歷四十分鐘抵達，再乘車南行，經笛卡波湖（Takap Lake），湖旁有一義犬塑像，表彰其救主義行。夜宿湖濱度假勝地鄉村旅社，夜觀南十字星，月光燦爛，清涼如水。

二月八日，目的地爲皇后城，經過可克（Cook）山下，有人乘直昇機遊山頂冰河，巧遇羅秀蘭老師也去觀光。中午至河邊看彈跳表演，但晚了一步，沒有看到。三時抵達皇后城乘纜車登高俯瞰，景色迷人。

二月九日，遊覽米佛峽灣，經提安那湖（TeAnAu Lake），穿過宏摩邃道，冰河峽谷，抵達美不勝收的米佛峽灣，使人有到長江三峽之感，乘船遊峽，至海口時，成群海豚，活躍海面，歷半小時回程上岸，原路返回皇后城。

二月十日由皇后城北上重返基督城。

二月十一日，參觀南極館、市區觀光、鳥類博物館、美術館、花園等。下午由基督城飛往澳洲雪梨轉往墨爾本。午夜二時許才進旅社休息，又是漫長的一天。

二月十二日，上午市區觀光，參觀派翠克大教室，可克古屋及忠烈祠，該祠屋頂陽光直射祠中心地上之心形石刻，爲一特色。下午開往菲律浦島看小企鵝返巢。晚上海邊風大，甚冷。八時五十分時看到第一批小企鵝自海上歸來，以後陸續回來，上岸、歸巢，雙方對對，十分奇妙。

二月十三日，由澳洲首都墨爾本飛往香港轉回臺北，結束澳紐之行。

六、重遊紐澳

八十四年十月廿六日，陪同錢董事長龍韜隨私教協會人員赴澳洲參加泛太平私校校長會議，下午七時十分搭國泰CX四二〇班機飛往香港，本應即時轉機飛往紐西蘭，但因飛機臨時故障，延期再飛，遂辦臨時簽證進入香港，進入黃金海岸旅社，時已次日凌晨二時半矣。

廿七日，下午三時許登紐西蘭航空N2〇七八〇班機飛往紐西蘭，歷九小時四十五分航程方可抵達紐西蘭首都奧克蘭。機上飛行路線圖顯示，飛越菲律賓上空，跨越赤道進入南半球，經過澳洲上空時，爲臺灣時間下午八時三十分，機外夜空，機內乘客多已入睡，高度一一、三〇〇M，距目的地尚有一時四十七分，已飛行七、八〇二公里，全程爲九、〇八五公里。

廿八日上午臺灣時間〇時四十五分降落澳克蘭機場，當地時間爲上午五時四十五分與臺灣時差五小時，共飛了九時三十分，當地幣值一美元兌一．四三紐幣。出關後本擬觀光，但車故障換胎，躭誤了兩個小時，九時三十分正式上路。

下午至羅吐魯阿參觀螢光洞，因上次已來過，故不覺新奇，然後看剪羊毛表演，五時參觀彩虹泉，那兒有奇異鳥、彩虹魚及紅檜樹等。晚餐時有毛利人歌舞表演。

廿九日，清早離開羅吐魯阿經陶波湖看地熱及地熱發電廠，十時半看好塔瀑布，碧綠的水，波濤洶湧，十分壯觀，鳥語花香，風景宜人。十一時參觀高空彈跳，團員中有一年青小伙子參與彈跳，實一大膽嘗試。七時抵威靈頓晚餐，我國駐紐代表到場歡迎。晚上九時同伙出去逛街，店多關門少有行人，十分冷靜，遂返旅社休息。

卅日，上午參觀一女子中學，由校長親自簡報該校概況，由幼稚園至高中，共五百人，採小班制，一班最多不超過廿五人，然後分組由學生帶我們參觀校區及各項設施，範圍不大，一座主建築亦不過兩層樓而已。十一時吃過茶點即辭別離去。

下午至機場，離開威靈頓飛往奧克蘭，一小時航程即達，三時廿分進大會會場—喜來頓飯店。五時五十分辦理報到。六時人會開幕式，首先由毛利人跳舞揭開序幕，然後由日籍會長講話，酒會場面冷靜，八時陳璽安理事長請中國團員吃粵菜，夜與陳鍾祀校長同住。

卅一日，八時全團去吃廣東粥，九時廿分返旅社，會議已開始，有些失禮。上午先由紐西蘭教育部長講話，接著由澳洲、泰國、香港各代表報告，提前結束。十二時由日本會長在飯店請用午餐，自助式，菜並不豐盛。

下午首先由我國代表陳璽安先生報告，然後茶叙，三時半由馬來西亞、美國代表報告。四時專題演講—恢復閱讀力。六時至港區乘船遊港區一週，然後在港口晚餐，吃全羊，但淡而無味。九時半提前離開，乘計程車回旅社休息。結束一天會議及活動。

十一月一日，今日仍舉行會議，第一節爲專題演講。

十時同幾位校長去參觀樹人中學的姐妹校，屬專科性質，規模不大。他們準備請吃中飯，但我們幾位婉謝了，仍回大會用餐。下午仍然專題演講，二時綜合討論及閉幕式。四時半同陳校長隨余先生去買紀念品─綿羊油、糖菓等。順便去余先生家看了一下，面臨大海，景觀不錯。上下兩層，三房兩廳。七時半趕回飯店，參加大會聚餐及惜別晚會，節目由各國代表提供。巧逢錢董事長生日，大家爲他唱生日快樂，十分精彩有趣。我們唱了兩首歌，十一時半結束，盡歡而散。

二日，會議結束，展開旅遊活動，上午由奧克蘭飛往澳洲雪梨，中午抵達，當地時間爲十時廿五分與紐西蘭差兩小時，與臺灣差三小時。當地幣値一百美元兌一二五・六澳幣。

中午在皇冠海鮮店午餐，錢董事長看到「大蟹」不吃可惜，結果四隻索價一千美元，有些坑人，最後由魏照金董事長請客，下午參觀舉世聞名，造型特殊的音樂廳，臨海而建，早已成爲雪梨地標，夜宿雪梨。

三日，上午參觀藍山國家公園，下午開往澳洲首府坎培拉。七時抵達，晚餐即進旅社休息。

次日，坎培拉市區觀光，先至人工湖邊照相，九時半在國會廣場與我國駐澳代表會面，交換禮物、合照。

十二時至動物園，參觀水族館、袋鼠、鴕鳥等，並看表演回力標。然後在園內午餐，有牛排、羊排，各自選擇，有位團員吃了一塊肉卡在喉頭，嚥不下也吐不出，十分難過，也很危險，我立即給他一顆胃藥吃，他隨即將卡住喉頭的食物吐了出來，解除危機。

下午由坎培拉飛往墨爾本。五十分鐘便達，遂乘車前往菲島看小企鵝回家，海邊甚冷，八時十分第一批企鵝出現，八時三十分便開車回墨爾本，十時五十分抵旅社，結束一日活動。

五日，上午參觀英雄紀念館，庫克船長紀念小屋，百花盛開的溫室，柏翠克大教堂等。下午參觀飛機修護學校，晚上七時又飛回雪梨，轉機飛往黃金海岸，九時抵達，天雨，當地時間八點（時差一小時），一小時後晚餐，進旅社休息。

六日，上午參觀海洋世界，下午二時離開黃金海岸，前往布里斯班，歷二小時抵達，然後去中國城晚餐，因治安欠佳，逐進旅社休息。

七日，上午十一時由布里斯班機場登機直飛臺北中正機場，飛了八個半小時，於臺灣時間下午六時抵達，七時四十分回家結束了二次紐澳之旅。

七、歐洲旅遊

八十六年五月十七日，展開歐洲十七日遊，中午於向陽樓全家聚餐後，下午三時即搭遊覽車赴中正機場，七時半搭國泰CX四五一班機飛往香港，九時十分抵達即轉乘國泰CX二九三班機飛往義大利首都羅馬，距香港九、三二三公里。十一時廿五分起飛。次日十二時十二分（當地時間爲六時十二分）降落，共飛十二小時四十七分鐘，長途飛行，有些疲累，幸好飛行平穩，並無痛苦及恐懼感。出關後即乘車作市區觀光，先至一山頂俯視羅馬全景，只見一簇簇古老建築，不時冒出哥德式圓頂教堂。該處上一次廁所要二百義幣，相當臺幣四元。當時有兩位導遊，一有執照但不會國語，另一會國語却無執照，故二人同時隨行。

十時至萬神廟，據說爲羅馬時代建築，已有兩千餘年歷史，然後看許願池、忠烈寺。下午參觀競技場、聖彼得大教堂、梵帝岡，內部金碧輝煌，外形雄偉壯觀。四時半參觀西班牙廣場，半圓形階梯式，很多人坐在那晒太陽。晚上至郊區EURO旅社住宿，發現有洗屁股設施。

五月十九日，前往義大利南部參觀龐貝古城，該城爲數千年前被火山岩漿淹沒，現已發掘，發現當時有相當完善的規劃，且範圍不小。

下午四時車行至距蘇蓮多有一段距離的半山腰靠海灣的一個旅社住宿，上下沿山而建，房間安排及編號很奇怪，使人搞不清，有如進入迷陣，當地八時半天才黑。

廿日，清早五時起身，帶著早餐及行囊，爬山步行數百公尺上車，半小時後至蘇蓮多碼頭，乘汽船向卡布里島航行，廿分鐘後改乘中型船，可容四十人，又半小時航程後再改乘小船，僅容五人，且需躺下，方可進入「藍洞」，洞口狹小，進入後豁然擴大，水色湛藍，猶如一大游泳池，船於其中轉了一圈即出，若遇大浪則無法進入，出洞後乘中船至碼頭，改乘專設小汽車上山，逛百貨公司、午餐。

下午一時半下山，乘大船至卡布里島，再轉至拿波里，又乘專車回羅馬。

廿一日，參觀舉世聞名的比薩斜塔，大家爭相照相留念。四時至佛羅倫斯，上山頂參觀米開朗基羅廣場及其雕像，下山後看百花聖母大教堂，「天堂之門」等景點。

廿二日，由佛羅倫斯前往威尼斯，途經山路，大霧濛朧，中午抵達，上船遊水都—威尼斯，經一「三千八百公尺」之跨海大橋。據說威尼斯係由一一八個小島所組成，每天有兩三萬名觀光客蒞臨，交通以船爲主，有公共汽船，載送旅客，二時許參觀水晶工廠。

廿三日，由威尼斯經南斯拉夫至奧地利首都維也納。清晨出發，至南斯拉夫午餐，有沙拉、雞排、麵包、冰淇淋等，口味鮮美，吃得很飽。二時進入鐘乳石洞，乘十分鐘小火車，然後步行，有專人導遊解說，範圍比盧笛岩大，二時半出洞，遂向維也納進發，進入奧地利經一隧道長七、八六四公尺，十一時半才進入旅社休息。

廿四日，先在維也納市區觀光，參觀哈布朗宮及其後花園、歌劇院、貝爾維第宮及市政廳等。下午前往莎茲堡，經日月湖（Moodsee）又稱夢湖。六時半參觀里拉貝樂花園，晚飯後至莫札特出生處看了一下，晚上與瑞士小姐馬瑞他連絡。

廿五日，由莎茲堡經茵斯布魯克至瑞士盧森。十一時至茵斯布魯克看奧運滑雪場，中午看金頂屋，然後在中國城午餐，量少味差，最糟的一餐。下午前往瑞士，經過一十五・七公里的山洞，六時至盧森，八時半在佛林根（FUERIGEN）旅社與馬瑞他等六人會面。飯後去其姐姐的學校參觀，以後又至馬瑞他家坐了一會。十時由馬瑞他開車送我同淑玉回旅社，十一時抵達，她回程還得開一小時，讓我們感動。

廿六日，穿上禦寒衣，因今天要登上三、〇二〇公尺高之鐵力士山。九時先乘四人坐的纜車上山，中途改乘大纜車，最後又乘旋轉纜車爬山至山頂，一片雪白，據說終年不化，風大甚冷，因高山缺氧，頭有些暈，大家在山頂雪地照相後即乘纜車下山。下午進入德國境內至黑森林區，參觀咕咕鐘製作過程，然後在波提湖邊賞景，翠苑酒家晚餐，夜宿林間旅社，家具全為木製，頗具特色。

廿七日，由夫來堡經海德堡至科隆。

十一時至海德堡，參觀古堡，看到世界最大酒桶，經過海德堡大學，學生王子電影拍攝場。下午經過梅因慈，沿途盡是葡萄園，萊茵河畔有很多古堡。二時在河畔吃胖媽媽的德國豬腳，一隻大豬腳配米飯，沙拉，但無飲料。三時許上船遊萊茵河，來回約一小時，欣賞兩岸風光，然後上車開往科隆。

廿八日，由德國進入荷蘭，至阿姆斯特丹。

九時半進入荷蘭，不必檢查，荷蘭境內處處見牛群，可見他們的畜牧業十分發達。十一時抵達阿姆斯特丹，首先參觀木鞋製作過程，大家買小木鞋作紀念，旅行團絡繹不絕，當時氣溫攝氏13℃。午飯後市區觀光，參觀住宅區，治安好，無小偷，住宅一坪合十三萬元臺幣，每年有五十億元花卉收入，五月廿三日為鬱金香花季，自行車很普遍，有專用道，平均三人一條牛。一時參觀乳酪工廠，然後看大風車，櫥窗女郎，房屋正面狹窄，據說可節省房屋稅，這些都是荷蘭特色。二時上遊艇遊運河，兩邊有水上人家。四時參觀切割鑽石工廠，晚餐後參觀「紅燈區」。

廿九日，自阿姆斯特丹經比利時首都布魯塞爾至法國首都巴黎。

清早出發，車多擁擠，九時進入比利時，無關卡。十時參觀原子結構模型，行車間亦見街上有「櫥窗女郎」，然後看「小童溺尿」，市政府。

午飯後向巴黎前進，一路平坦，全是農田。一時半至滑鐵盧，看拿破崙紀念館，有一金字塔型墓丘，頂端有一獅子銅像。一時廿分進入法國，經戴高樂機場旁進入市區。晚餐後再至戴高樂機場附近一家旅社（Quality Hotel）住宿。晚上九時與昔日好友張梓陵女士連絡，並約定明晚十時她來旅社會面。

卅日，巴黎市區觀光，十時至凱旋門前，由一女導遊解說，據說該門建於一八一六年，經過香舍里榭大道，兩旁布滿咖啡座，到達協和廣場，總統府，再去參觀聖母院、艾菲爾鐵塔、拿破崙墓。下午進入羅浮宮，其中藝品琳瑯滿目，價値連城，遊客如織，走馬看花巡視一遍，於三時半出來，六時乘船遊賽納河，導遊收每人廿美元，但看船票僅四十法朗，顯然被他坑了。九時返旅社準備等候張梓陵來。

十時張梓陵女士由其長公子王宇歐駕車準時到達，於是我們在大廳咖啡座坐談，互訴離情，數十年不見，現能相聚，實屬難得，當初分別時她還是未出閣的小姐，如今再見面已各自兒女成群，且均已是祖父母級的輩分，怎能不令人慨嘆時光催人老。十一時送他們離去，了却我與友人相會的心願。

卅一日，由巴黎乘歐洲之星海底火車至英國首都倫敦。九時先至巴黎拉法耶百貨公司，參觀、採購，但價格昂貴，大家都在其對面幾家店裡購物，中午至龐畢度中心廣場參觀，那兒有不少攤販，又有人利用機會購物。

三時至火車站，各自携帶行李乘「歐洲之星」火車，通關抽查行李，被抽到延誤片刻。四時四十五分火車進入海底隧道，廿分鐘後即出海，進入英境，陸上遍地牧草，羊群處處，六時一刻抵倫敦站，時鐘比巴黎慢一小時，與臺北差七小時。週六下午，倫敦人群擁擠，晚餐後進入旅社，房間很小幾乎放不下皮箱，但有燒水壺，於是泡了一杯咖啡喝。

六月一日，遊完倫敦便回臺北。

八時半市區觀光，黑人司機、女性導遊，車經海德公園旁，據說面積甚大，然後至飛鳥廣場，鴿子群集，昨天下午的人群已不復見，九時至西敏寺，只在外面看看，經過大笨鐘下至太晤士河邊，購「小衛士」只見對岸教堂高聳。十時參觀倫敦塔，該處珍藏英國皇家珠寶，古物。十一時半至白金漢宮前看衛兵交接，旅客太多，看不清楚。二時又至海德公園，看到有人在演講，吸引不少人圍觀。三時參觀大英博物館，出來時有人迷失，大家緊張一番，幸好未幾便找到了，不致延誤飛機班次，五時半至機場報到，六時廿分登上國泰ＣＸ二五〇班機飛往香港，螢幕顯示航程九、六五六公里。七時起飛，一路平穩，七時降落香港，整整飛了十二小時，香港時間爲下午二時，遂即轉機飛回臺北，到家已八點多了，圓滿結束十七日的「歐洲之旅」。

八、東歐之旅

民國八十七年（一九九八）六月廿三日，隨團赴東歐旅遊，下午三時同淑玉自家出發，帶著行李箱冒著大雨至羅斯福路對面大考中心前搭專車赴中正機場。由全洲旅行社老闆娘曾靜芳女士帶隊，先至機場地下餐廳，每人吃一碗魚丸麵當晚餐，然後搭荷航KL八七八號班機飛往泰國曼谷，晚上十一時抵達（當地時間爲下午十時）一小時後又乘原機飛往荷蘭阿姆斯特丹，十二時四十分起飛，機上螢幕顯示，飛行時間十時四十四分，預定當地時間五時三十六分到達，在機上過夜。

六月廿四日，昨晚在機上度過，荷蘭時間上午五時二十分降落阿姆斯特丹史基浦機場，與臺灣時差六小時，共飛行十時四十分鐘，當地氣溫16℃，一美元可兌一．九五荷幣。十一時轉乘小型KL一三九五班機飛往蘇俄聖彼得堡。下午一時五十分到達，飛了二時三十分，與臺灣時差四小時，四時許出機場，由當地導遊史考達隨車以生硬國語解說，當時楊樹花絮空中飛舞，猶如雪花飄揚，（當時幣値一美元兌六．〇三盧布），先帶我們進入波羅的海大旅社，七時去上海飯店晚餐，九時回旅社休息，天仍然很亮，據說有「夜不暗」現象。

六月廿五日，清早四時三十分起來，天仍然很亮，於是同淑玉至旅社附近散步、照相。旅社建築雄偉，氣魄非凡，樓高十餘層，爲附近最高建築，瀕臨波羅的海，景色優美。

上午本應市區觀光，但車行至業瓦河邊却故障了。導遊將我們一行帶至一家紀念品店，消磨時間，等待換車，直到十一時半，仍無車來，於是改乘電車去上海飯店午餐，一上午就這樣泡湯了。飯店設備差，吃不好，却有女郎唱歌助興，賺取小費。下午換車去夏宮參觀，該處保存俄國歷代帝王文物，牆壁多以渡金花紋裝飾，顯得金碧輝煌。六時回聖彼得堡，吃俄羅斯式晚餐，場地狹小，菜不豐盛，亦有歌女獻唱，所謂「俄羅斯大餐」原來如此，令人失望。

裴尙苑與顏淑玉於披薩斜塔前

裴尙苑與顏淑玉於瑞士旅社與當地友人合影

法國巴黎羅浮宮前留影

顏淑玉（左）與張梓陵（右）於巴黎

巴黎鐵塔前↑

巴黎凱旋門前↑

荷蘭大風車前↓

美國國會大廈前↓

俄羅斯莫斯科大學前合影

克里母林宮內巨砲前留影

六月廿六日，清早仍至海邊散步，見一當地人準備以充氣帆布小汽船下海捕魚。旅社西式早餐尚稱豐盛。

上午補行市區觀光，看到蔣經國先生當年就讀的空軍學院，日俄戰爭時擄獲的戰艦停在業瓦河邊，供人參觀，中午又在上海飯店用餐，已吃厭了。

下午參觀亞歷山大紀念柱及冬宮，並逛該市最大一家百貨公司，為一四方形雙層建築，繞一圈需半個小時。晚上十時登機飛往蘇俄首都莫斯科，飛機老舊，座椅拉不直，飛機安檢躭誤了一個小時，十一時四十分起飛，歷一小時降落莫斯科，至旅社已午夜兩點多了，度過最辛苦的一天。

六月廿七日，凌晨二時許才進入烏克蘭旅社。上午晚起，十時三十分出發參觀傲視古今的克林姆林宮，其中有幾座教堂，尖型金頂伸入空中，為克宮特有標誌，廣場置巨砲一尊，大鐘一口，口缺一塊，有其傳說故事。接著看列寧陵寢，紅場廣場，聖巴索大教堂。下午參觀天鵝湖。晚上欣賞馬戲團表演，節目精彩，有高空飛人、馬背傳火、美女繩舞、小丑逗笑，都很有趣。

六月廿八日，上午至莫斯科大學前廣場，迎面高聳一座尖頂雄偉建築，為俄國八座百年建築之一，該處地勢較高可鳥瞰莫斯科全景。廣場有小販賣紀念品，以三美元購一只五鳥啄食玩具。十時搭乘有「地下宮殿」之稱的地下鐵，深入地下百多公尺，電動梯近乎九十度上下，參觀了幾個車站，均以馬賽克拼成壁畫，各具特色，十分壯觀。

晚上乘機飛往波蘭首都—華沙。十一時抵達，當時大雨，行李淋濕。十一時三十分進入旅社，當地時間九時三十分與臺灣相差六小時。

六月廿九日，清早漫步街頭，看華沙比莫斯科繁榮進步，充分證明民主勝於專制。上午市區觀光，至蕭邦公園，園中有一尊蕭邦塑像，位於池旁，池邊遍植玫瑰，花色艷麗、樹木茂盛，且有孔雀漫步其間。步至另一池畔，見一對青年男女擁吻，久久不分，據導遊說此爲當地常見現象，不足爲奇。貫穿華沙市內河流爲維斯瓦河，河畔有美人魚銅像，被搬去維修，空留基座，河邊有不少人在繪畫、賣畫，頗富藝術氣息。下午離華沙南行，赴波蘭第二大城—克拉科，爲聯合國評鑑爲十二座世界最美麗城市之一。

六月卅日，上午驅車前往維耶利奇卡（WIEKICZKA）參觀岩鹽採掘場。沿木梯盤旋而下，深入地下六四公尺，腿爲之酸，洞中有塑像一尊，紀念採礦英雄，供人攝影留念，相機携入需付費五元，穿越一段彎彎曲曲的水平鹽洞，繼續下降數十公尺，最後有一大廳，面積比籃球場還大，設有遊客服務站，販賣紀念品及鹽包，然後乘電梯上來。

下午參觀二次世界大戰時，德軍囚禁猶太人之奧斯維生（OSWIECIM）集中營，範圍甚廣，一排排數百棟木造平房，四週鐵絲網圍繞，有鐵路通達其中，專供運囚之用。另一處爲勞動營，爲磚造兩層斜頂建築，原爲波蘭軍營，現爲博物館，展示德軍屠殺猶太人之罪行，藉高速人體焚化爐，摧殘、殺害四五〇萬無辜猶太人，看到以死後猶太人毛髮織成的衣物，黑牢和死亡壁（槍斃人的場所）。最後並看到德國納粹摧殘猶太人的紀錄片，其中有集體活埋猶太人的鏡頭，令人毛骨悚然。

七月一日，上午前往有中世紀寶石之稱的捷克首都—布拉格，沿途平原曠野，盡是田園風光。中午通過波捷邊境關卡時，檢查護照，延誤兩個小時，致下午三時方進午餐。進入捷克境內，沿途不少工廠，可見捷克工業發達，農作物亦很茂盛，大片向日葵，黃色花朵，引人注目，抵達布拉格時，天色已暗，晚餐後即進入旅社休息。

七月二日，全日布拉格市區觀光，該城位於波西米亞中心地帶，爲歐洲最古老都市之一，市中心各式建築聳立，素有「建築博物館之都」的美譽。上午參觀古堡、皇宮，跨越伏我塔瓦河，橋兩旁有十五尊姿勢不同的聖像，經過黃金小徑，商店林立，到處可見羅馬及巴洛可式建築。下午參觀查理士橋，長數百公尺，兩旁有賣畫及紀念品的。然後又至舊城區廣場，亦盡是賣藝品的小商店。四時看教堂頂層使徒報時，將窗門推開，人像轉動，旅客爭相拍照。以後又參觀猶太人居住區，皆法國式五層樓房，看來比較富有。

七月三日，上午開往捷克另一大城—布爾諾（BRNO），沿途田園風光盡收眼底，一片平坦，未見山丘，十時半抵達。

下午前往號稱世界著名極具觀光價值的地下鐘乳石洞。下遊覽車後先坐一段小火車至洞口，步行進入洞穴，其中氣溫較低，經看過後發現該鐘乳石洞規模並不大，也沒有什麼奇特，經過一段路程，改乘小船沿洞中河道前進出洞。

七月四日，上午驅車開往斯洛伐克的中世紀古都—布拉提斯拉華。九時抵達邊境，順利辦完通關手續，十時即進入布拉提斯拉瓦，由當地一位年長導遊先帶至一座山頂，鳥瞰市區全景，山頂有一座紀念柱，甚高，爲紀念蘇聯協助他們而建，然後參觀古堡，展示他們的文化遺產，四月四日廣場、市政府、大主教宅邸、法蘭西斯教堂。

下午開往匈牙利首都—布達佩斯，經過斯洛伐克發現多爲丘陵地帶，比較貧困。二時至斯匈邊境，兌換美金十元得二、〇三五匈幣。五時半抵布達佩斯，感覺比斯洛伐克繁榮。

七月五日，布達佩斯市區觀光，布達佩斯係由兩市組合而成，布達多山，佩斯平坦，多工廠，多瑙河貫穿兩市之間，由多座跨河橋樑所聯繫。上午先至英雄廣場，一端有一孤形建築，樹立歷代帝王塑像，姿態威武，氣宇昂然，有不少小販兜售衣物，然後去參觀古堡，其中建築皆爲各名建築物之縮影—仿製品。該處河邊風景甚美。接著去參觀史蒂文大教堂，正値作禮拜，不克進入禮堂，但由旁邊電梯升至屋頂，鳥瞰市區全景。下午參觀故皇宮、漁夫堡，濱臨河畔，連續七座，形成特殊景觀。晚上享用匈牙利風味餐，先上　碗美味牛肉湯、麵包、主菜爲一大盤豬腳，配葡萄美酒，相當不錯，同時有民俗歌舞表演，最後由遊客上台共舞，引起高潮。

七月六日，上午登上克雷多山頂，那兒有一座紀念碑，紀念一位倡導宗教自由的傳教士，豎立山頂，目標顯明，遠望猶如御風欲飛之自由女神。十時登遊艇遊多瑙河，穿梭無數名橋，繞瑪嘉烈島一週，兩岸風光，如詩如畫。下船後參觀當地菜市，整齊美觀，很現代化。

下午開往機場，要搭機返國了。四時三十分登機，隨即起飛，六時二十分降落荷蘭阿姆斯特機場，七時轉機，因空調故障，延誤兩小時，九時起飛，飛行十時三十分抵泰國曼谷，長途飛行，尚稱平穩，但仍無法入睡。凌晨二時（臺灣時間爲七月七日上午八時）機窗外天空泛白，當時正飛越印度上空，機上供泡麵吃，當時臺灣時間爲中午十二時。一時二十分降落曼谷，當地時間十二時二十分，立即轉機，仍爲原機、原位。二時三十分起飛，五時四十五分降落桃園中正機場，回到家已晚上八點多了，平安圓滿地結束了十五日的東歐之旅。

拾、講辭選集

一、就職講話（接任時講話）

感謝董事會給我這個機會能更進一步爲學校貢獻心力，自當全心全力犧牲奉獻以不負所托。

感謝汪校長五年來對我們的領導，不但爲我們樹立了良好的典範，尤其感謝他對私校教師的貢獻，眞是功不可沒，由汪校長的策畫及奔走，使私校教師退休金比照公立學校得以實現，實屬難得。

對同學們的期望：一個學校的好壞固然因素很多，但最重要還是要看同學的表現，同學表現好學校就好，所以希望大家能夠遵守校規，努力讀書，平時處處表現有禮貌、守秩序，在家庭作個孝順的好子女，在學校作個品學兼優的好學生，將來畢業到社會作個奉公守法的好國民，處處能讓人激賞，自然會受到別人的尊敬，如此滬江便會因你們而感到光榮。

80. 8. 1.

二、週會講話

——校長的話

流光易逝，歲月如梭，一個新的年度又已降臨人間，在這新年的開始，首先向大家說聲「新年快樂」，並祝大家在這新的一年中身體健康、萬事如意。

回顧去年一年滬江高中在董事會的正確指導下，由於全體師生密切配合、共同努力，使學校在各方面都很大的進步。最顯著的應是設備的充實與更新，如所有教室全面裝設空調設備、燈光普遍改善，且品質都是一流的，中正堂天花板的更新，各實驗室儀器的充實及語言中心的設立（其中包括三個特種教室）這些設施對教學品質的提升，均有很大的助益。

其次是學生人數的增加，以及素質的提升，在目前私校招生困難的情形下，更是難能可貴，由此亦可看出滬江的進步，已獲得社會人士的肯定以及學生家長的認同。

在去年暑期中我們禮聘好多位富有愛心、學養俱佳的優秀老師，這對今後提升教學品質當有直接的影響。目前已有很多老師課餘將學生留下來作完全義務性的課業輔導，值得感謝與敬佩。

在過去這一年來，我們作了很多的革新措施，如學生校服的更新，不但款式新穎、顏色鮮艷，尤其品質大大的改善。另外有關全校師生的民生問題的福利餐廳也徹底更新了，不但桌椅全新，有空調設備，且菜色花樣翻新富有變化，色香味俱全，大家都感到十分滿意。

在教學方面：曾多次召集各科教師分別研究如何改進教學方法、提升教學效果。如英文科要求同學多背單字，熟練文法結構，運用電腦補助教學以提升學生學習興趣，已獲得初步成效。今年暑假本校畢業學生考取大專者計一百一十一名。

暑假期間，我們舉辦國中職業輔導營，開設創意空間，商業包裝兩班，附近有十餘所國中學生報名參加，使他們對職業教育有所認識，以作爲他們畢業後選科的參考。

於寒假期間也舉辦了丁科電子丙級技術士檢定，本校學生及格率相當不錯。

學生們參加校外比賽也有良好的收穫，如工科能力本位競賽、商科軟體賽以及國語競賽，都獲得優良成績。夜間成人教育推廣班，亦獲得學生們的讚賞。

在學生行為表現方面，大家都能注意到禮貌、整潔、秩序等基本要求。養成良好的生活習慣，做到「尊師重道、友愛同學」，培養和諧的人際關係。

在體育活動方面，也有不錯的成績，如北市南區比賽，本校獲得冠軍，更值得一提的是我們的校友張榮三榮獲亞運跆拳比賽金牌獎。

有關提升教學品質、培養讀書風氣一直是我們努力的目標，爲達成此一目標，我們採取了一些具體措施，如加強各科教學研究、改進教學方法，鼓勵使用媒體引起學生興趣，加強課業輔導與考試，採取競賽方式，公佈成績，獎勵績優者，以激勵學生們的榮譽心。

以上這些成果都是我們大家努力的結果，固然值得欣慰，需要發揚光大，但有些仍未盡如理想，值得更加努力地去追求，面對新的一年，我們滿懷著無限的希望，希望達成我們的理想，那就是學生人數的再充實，素質不斷的提升，設備更完善，教學更有成效。我們的作法研究增設觀光科，加上自然增班，學生人數自然會成長。

在建設方面，計畫改建天文堂爲十層大廈，將校門推向羅斯福路邊，讓滬江眞正站出來，展現在大家的眼前。另外整修操場、鋪設PU跑道、美化校園，因應週邊道路通車後爲維護校區安全建築圍牆等。

在創造高升學率方面，我們的作法，除要求老師加強教學外，並設高額獎學金，吸收績優新生，並依每年聯招成績獎勵教學績優教師及導師，另外鼓勵學生自動留校自習，培養其自動自發的讀書精神。

以上這些都要靠全校師生共同努力，精進不懈來達成我們的目標，實現我們的理想，以創造光明燦爛的未來。

80.9.7.

三、週會講話

——同學們應有的認識與努力

學校爲提升校譽，加速進步，最近採取若干改革措施，業已付諸實施，務期全體同學密切配合，早日達成理想目標。茲就同學們應有的認識與努力，簡述如次，以期共勉。

一、認清本校特質，建立學校意識：

大家須知本校係由滬江大學校友所創辦，旨在承傳滬大精神，以爲國育才爲目的，諸位現就讀滬江，畢業後即爲滬江校友，亦即學校就是大家的學校，由此可知學校與同學的關係，密不可分，各位自應珍視滬江，愛護滬江，更應齊心協力使滬江日益茁壯，欣欣向榮。

二、認清本校優點，建立堅定信心：

本校由於性質不同於其他私立學校，且有董事會的正確指導，故擁有許多其他學校所沒有的優點，茲就犖犖大者，略述如次：

1.環境幽雅，設備齊全：本校位於北新橋頭，景美溪畔，環境幽靜，風景宜人，杜鵑鬥艷，桂花飄香，黃菊送爽，楓葉片片，大王椰高聳天際，冬日聖誕紅不怕歲寒，同學們悠遊其間，眞是其樂融融。在設備方面除各科的專用特種教室外，並有大禮堂，游泳池，空調設備的實習工廠及電腦教室等，可說應有盡有，齊備完善。

2.因材施教，健全發展：本校嚴守教育宗旨及各科教學目標，強調正常教學，因材施教，五育並重，均衡發展以期培養健全國民，爲國育才。志願升學者輔導升學，希望就業者加強技能訓練，對體育有興趣者進體育班，想考軍校的輔導升軍校。所有同學均能各盡其才、充分發揮。

3.師資優秀，富有愛心：本校教師均經公開甄選，故各科教師均爲合格優秀教師，且非常富有愛心，每天七時半到校，下午五時才回家，整天全心投入時時關注學生，敬業精神令人敬佩，其中有因表現優異而得師鐸獎的，有因製作教學媒體而得獎的，也有因同時參加研習而囊括前幾名的，同時有不少老師利用課餘或假期輔導學生解決困難，充分發揮教育愛。

4.注重鼓勵、獎學金多：學校爲鼓勵同學發揮才能，設置多項巨額獎學金，如全額獎學金、體育獎學金、前三名獎學金、特殊貢獻獎學金，名目繁多，不一而足。總之，同學在任何一方面，只要有特殊表現，值得鼓勵者，均可獲得獎學金，所有獎學金統定於每學期之「榮譽日」頒發，據統計每學期發出之獎學金金額常在百萬元以上，此一壯舉實爲其他學校所罕見。

5.同學可愛、榮譽心強：本校同學個個彬彬有禮，活潑可愛，且富有榮譽心，凡參加校外各項學藝競賽，無不全力以赴，爭取最高榮譽，不但在田徑場上，游泳池畔奪得許多獎杯，且跆拳隊更能代表國家揚名國際。在學業方面實習競賽曾有輝煌成績，國語文競賽連續兩年均有卓越表現，實在難得。

總之，本校擁有多項優點，由於篇幅所限，無法一一陳述，深望同學們堅定信心，繼續努力，以創造更輝煌的成就，爲學校爭光。

三、提升校譽，人人有責：

一個學校的好壞，固然與師資、設備及辦學精神有密切關係，但最重要的還是取決於學生的表現，有些所謂「明星學校」，並非其在師資、設備方面有什麼突出，主要是她收取了最優秀的學生，且大家所謂的明星學校，只是以升學率爲唯一判定的標準，至於人格發展是否健全，五育是否均衡發展，均在所不計，實在不是國家之福，亦非教育的眞正目的。本校一向注重正常教學，五育均衡發展，尤其著重健全人格的陶冶，所以同學們只要大家平日遵守校規，尊敬師長，友愛同學，積極進取，在各方面都有優越表現，誰敢說滬江不是一流的學校呢？

四、同學們應有的努力：

1.加倍努力，養成良好讀書習慣：根據平日觀察結果發現有些同學在讀書方面不夠努力，有些科目考試成績都不理想，這都證明大家平時努力不夠，要不然就讀書不得要領，習慣欠佳，所造成的結果，須知「一分耕耘，一分收穫」，工夫是不會白費的，只要大家平時準時上課，專心聽講，回家養成自習習慣，自然可克服一切困難，成績突飛猛進。

2.變化氣質，培養健全人格：本校向以培養健全人格爲教育主要目標，德育重於智育，即可謂「行有餘力則以學文」，事實上德育也是最爲重要，一個人如沒有健全人格及高尚品德，學識及技能則只能幫他爲非作歹，對人類社會不但無益反而有害，此理至明，不必贅述，故本校特重人格陶冶，但如何才能培養健全人格呢？除平時牢記老師教導的爲人作事的原理原則外，最重要還是要身體力行，並不斷自我反省，檢討改進，自然會日進有功，完善無缺。

3.注意校外行爲，塑造美好形象：同學校外行爲，影響校譽至深且巨，所以大家平時必須儀容端正，服裝整齊，上車排隊，車上讓座，處處表現彬彬有禮，活潑可愛的高雅氣質。須知在校外穿著校服即代表學校，故必須謹言愼行，爲滬江塑造美好形象，贏得大家的尊敬。

4.發揮愛心，愛國愛人：本校校訓爲「信、義、勤、愛」，故本校特別重視愛的教育，每年定期舉辦「愛心同樂會」，由同學自動捐贈零用錢及玩具，招待附近育幼院童來本校同樂，希望同學們在愛的滋潤與薰陶下，培養愛心，發揮愛心，學習如何愛護別人、關懷別人，進而愛護國家、民族、世界人類。

總之，要提升校譽，必須大家同心協力，各盡本分，尤其同學們更應全力配合，發揚滬江「信、義、勤、愛」精神，則滬江前途一定光明燦爛，無可限量。

80.9.7.

四、校長於家長會議請求家長密切配合

李會長、各位家長、王董事、各位同仁：大家好！今天是本校八十學年度第一學期家長會員大會，承蒙各位放棄週末假期，踴躍參加，十分感激，由此可見各位家長平時對貴子弟教育非常關心。更感謝各位家長送子弟來本校就讀，這也表示各位對本校的信任與肯定，我們基於道義與責任一定要盡心盡力設法教好大家的子女，不使各位失望，善盡我們的職責。

各位從王董事申望女士剛才的報告，可以瞭解滬江中學是由上海滬江大學的校友們所創辦，其主要宗旨在紀念母校為國育才，可說具有崇高的理想，創校迄今已有卅二年的歷史，由於董事會的正確指導，歷任校長的盡心經營，已使本校成為一所具有相當規模的綜合中學。茲將本校現況略作介紹：

目前本校在硬體設備方面：擁有一座二層行政大樓兼禮堂及室內體育場，學生活動中心的中正堂；一座五層為工科普通教學用的信義樓；另一座五層專供普通科及商科用的普通教學用的勤愛樓；一座四層電子科實習大樓，其中地下層為音樂及視聽教室，一樓為兩大間電腦教室，二至四樓分別各有兩間實習工廠，每個年級使用一層，工廠空間寬敞，各設有講解區、實習區及教師研究區。每層一間工具、器材室分別由專人管理，且都有空調設備可說是相當理想的實習工廠。另外還有一座兩層樓的天文堂，其中一樓爲實驗室、視聽教室及教材中心。二樓爲寬敞而採開架式的圖書館，還有爲商科用的一間電腦教室。另外現在正在興建一座五層綜合教學大樓。預計一年完工後，供普通科及建築科使用。屆時教學空間會更顯得寬敞而舒適。

此外本校區寬敞、交通方便、校園綠草如茵，花木扶疏，左有伊文思花園，右有現代化游泳池，堤外有可供本校使用的堤外公園，環境十分優美，在台北分土寸金的情況下，同學們能享有如此充裕的活動空間，實不多得。

本校目前設有普通科、電子科、建築科、室內設計科、商業經營科及資料處理科，同時設有夜間部及補校。日間部各科現有三十八班，學生一千八百餘人，夜間及補校學生將近一千人。

有關本校辦學方針：一向秉持中華民國教育宗旨，貫徹各科教學目標，爲國家培植文武合一、德智兼修、效忠國家、服務社會之優秀人才，尤其重視學生生活教育及品德之陶冶。並把握因材施教之原則，鼓勵學生力求上進，發揮潛能，期勉他們畢業後都能成爲堂堂正正的健全國民。

至於本校特色：有幾點值得向大家報告的，本校環境優雅、設備齊全、交通方便、校風淳樸，已如上述，更值稱道的是我們敦聘一群有愛心且具有教育理念，肯爲教育而犧牲奉獻的好老師。他們一大早七點半以前便到學校直到下午五點以後才離開，全天十小時以上無時無刻不在照顧各位子弟，這種服務精神實在讓人敬佩，同時在這兒也請各位家長放心，我們的老師都會以愛護自己子女的心情照顧大家的子弟。因爲我們一直強調推行愛的教育，多鼓勵、少責難。所以本校最早成立輔導中心，加強推行輔導工作，由於工作同仁的努力，績效卓著，經教育局評鑑連續兩年獲頒優等及特優獎。

為了鼓勵學生力求上進，我們設置了很多的獎學金，同時每學期特定一天為「榮譽日」，專門頒發各項獎學金；其中最吸引學生的應屬於「滬光獎學金」，頒給全校德、智、體、群成績最好的一位學生，金額壹萬元外尚有一面刻有滬江校訓——信、義、勤、愛的純金金牌。其次為全額獎學金，凡進入本校其入學成績達本校所訂標準者，均可申請，學雜費全免，另外設有耕牛獎學金，專門鼓勵考取大專院校的本校畢業學生，最高金額一萬元，今年合於錄取者有七十餘位，其他尚有各班前三名獎學金、清寒獎學金、治心獎學金等，名目繁多不及一一列舉，總計每次頒發獎金總額在百萬元以上，今年榮譽日共頒發獎學金新台幣壹佰壹拾貳萬肆仟零貳拾捌元正，受獎學生日夜間部共計二三八名。

由於時間關係，其他不再贅述，詳情請各位參閱書面資料，不過尚有幾點請家長能多配合。以便收事半功倍之效。

1. 勸導貴子弟勿騎機車上學，以維護安全。
2. 注意子女生活，督促其早睡早起，養成良好生活習慣。不吸煙、不喝酒、不嚼檳榔，更不能吸毒。
3. 注意學生成績單，並親自蓋章，以確實了解其學習狀況。
4. 若接到學校缺曠課通知，應立即與導師連繫，辦理請假手續。以免累積過多，遭受退學處分。
5. 請隨時主動與導師連繫，瞭解貴子弟在校學習情況。

以上各點請各位家長密切配合，以便同心協力教好我們的子弟，使其在學業及品德方面天天都有進步。最後祝大家身體健康、精神愉快。

80.11.16.

五、三十四周年校慶賀詞

王董事長、各位貴賓、各位校長、各位家長、老師、校友及同學們，大家好！

今天是滬江高中三十四周年校慶，承蒙各位貴賓蒞臨本校參加校慶慶祝大會，本人謹代表全體師生表示感謝與歡迎之忱。

滬江中學是由上海滬江大學的校友們爲紀念母校，於民國四十七年在台北市景美現址，創立了滬江中學，回顧創建之初，可說篳路藍縷，十分艱辛。在創辦人會、董事會及歷任校長的慘淡經營下，歷經數十年的辛勤耕耕，使現在的滬江中學無論在硬體或軟體各項設備方面，均已具備相當的規模，各項表現深受社會肯定與家長們的信任。因此我們在慶祝校慶的今天，特別要抱著懷念與感謝的心情，感謝這些對學校有貢獻的人。

首先讓我們深深追念的是已蒙主寵召的創辦人會主席吳嵩慶將軍，本校初創之際他出力最多，貢獻最大，以後也一直都很關心學校，在世時，凡學校有重要活動及慶典他一定到場爲同學們勉勵一番，所以我們非常懷念他。

其次要感謝董事會歷任董事長及董事們對學校的正確指導與支持。我們的第一至三屆董事長是吳嵩慶將軍，第四屆董事長是陳舜耕先生，第五屆是周聯華牧師，第六屆是牛天文先生，現在本校的天文堂就是紀念牛天文先生的。第七屆是錢傑夫先生，第八屆是牛徐金珠女士，她是牛天文先生的夫人。第九屆又是周聯華牧師，第十屆也就是我們現任董事長王國琦先生。

再要感謝的是本校的歷任校長，本校第第一任校長陳椿葆先生，第二任是臧美徒先生，第三任是閻人俊先生，第四任是劉慕唐先生，第五任是劉廉一將軍，劉校長任內大力整頓，銳意革新，使學校大有起色。第六任是王申望女士，也就是在座的王董事，她任校長有十二年之久，在本校所有校長中，她服務時間最長，貢獻也最大，現在本校幾棟主要建築物除信義樓外，都是在她任內完成的，同時也爲學校建立了建全的制度，可說使學校脫胎換骨，突飛猛進。目前仍不斷地指導著我們，我們非常感謝她，第七任是我們前校長汪乾文先生，汪前校長學識淵博，經驗豐富，領導我們有五年之久，使學校在穩定中成長，各方面都有相當進展，今天也來參加我們的慶典，我們非常感謝他。

更要感謝的是曾經服務本校及現在仍在本校服務的老師及工作同仁們，由於大家的團結合作，共同努力，默默奉獻，辛勤耕耘，才有今日的滬江，謹在此一並感謝。

其次，我們慶祝校慶要發揚滬江的優點及特色，本校建校以來歷經數十年，由於大家的勤奮努力，樹立不少的優點與特色，值得發揚光大。例如：

在教學方針方面：本校一向確實把握教育宗旨，實施正常教學，以生活教育、品德教育及民主法治教育爲中心，培養德智體群美五育均衡發展，樂觀進取的現代青年。這也是現在教育當局極力追求的目標。

在生活輔導方面：本校最早成立輔導中心，推行愛的教育，對同學有很大的幫助，由於工作同仁的努力，連續兩年獲得教育局輔導「特優獎」。

在學藝競賽方面：本校老師曾獲媒體製作特優獎，蔣佳雲同學曾獲全國詩歌朗誦比賽冠軍。

在體育活動方面：本校早期的籃球隊馳名中外，同時培養不少籃球國手，例如李志強、許榮春等，李淵明同學獲亞運跳水銅牌獎，張榮三為奧運跆拳道國手等。

在社區服務方面：由於同學們的熱心服務，使本校獲得台北市社區服務特優獎。

還有很多優良事蹟，因為時間關係，無法一一提出，希望大家繼續努力，創造更多佳績，爭取更大榮譽。

今天慶祝校慶我們更重要的是要發揚滬江傳統精神，滬江高中承襲了滬江大學的校訓、校歌、校徽，更重要的是承襲了滬江大學的優良傳統精神。那就是：「滬江大家庭精神、基督博愛精神、信義勤愛精神、熱愛母校的精神」。

今後，希望全體師生，在滬大校友會、滬江中學創辦人會、董事會諸先生領導下，精誠團結、共同努力，為追求學校繼續成長與茁壯貢獻心力。

最後，恭祝

校運昌隆，各位貴賓、家長、校友暨全體師生，健康快樂，萬事如事。

81. 5. 5.

六、校慶賀辭

今天（五月五日）是台北市私立滬江高級中學三十五周年校慶，全校師生及各地滬大及滬中校友們都懷著歡欣鼓舞的心情，來慶祝這個值得紀念的日子。滬江中學是由上海滬江大學在台校友們爲紀念母校及發揚母校優良傳統而建立的。回顧創校之初篳路藍縷，備極艱辛。卅五年來在創辦人會、歷任董事會暨滬大校友們的正確指導及鼎力支持與呵護下，逐漸成長茁壯；加上歷任校長們的努力經營，已使滬江成爲一所頗具規模的綜合中學，它不但繼承了滬大的優良傳統精神——「滬江大家庭」的精神，也建立不少完善的制度，今日欣逢校慶，我們不僅要感謝這些前輩們對學校的貢獻，更要使滬江精神發揚光大，所以提出下列數點與大家共勉：

第一、要發揮愛心：

滬江校訓是「信義勤愛」，滬大校友本著基督愛心而創立了本校，學校一切措施都以愛護學生爲出發點，推行愛的教育，遇有學生偶爾犯過錯，都以輔導代替懲罰，每年舉辦「愛心活動」，培養同學們知道如何關懷社會、愛護同胞，「愛」是滬江之優良傳統之一，我們要將它發揚光大。

第二、要發揮榮譽心：

榮譽爲人的第二生命，爲了激發學生的榮譽心，學校平時舉辦各式各樣有意義的比賽活動，學生們爲爭取榮譽均能全力以赴，學校爲了表揚這些優秀學生，並激勵其他同學能見賢思齊，每學期特定一天爲「榮譽日」，頒發獎狀及獎金，以獎勵這些品學兼優以及特殊貢獻的同學，每次頒發獎金都在百萬元以上。

第三、發揮愛校精神：

當年滬大校友們爲紀念母校而創立滬江中學，出錢出力，各盡所能，充份表現了愛校精神，滬江中學自創校至今，畢業學生有一萬五千餘人，希望大家都能發揮愛校精神，效法滬大校友前輩回饋母校，像目前在校服務的同仁很多都是滬江校友，他們都能本著愛校精神盡心盡力爲校服務，更希望在校同學努力用功，敦品力學，爭取榮譽，尊敬師長，友愛同學，愛護學校公物，培植花木，使學校成爲人人羡慕的樂園，這就是愛校的具體表現。

第四、發揮滬江精神：

滬江中學承襲滬江大學的傳統，我們要將它發揚光大，所以本校特別重視校園倫理，學生尊敬師長，師長愛護學生，大家相互尊重，和諧相處、其樂融融，今天慶祝校慶，希望全校師生精誠團結、共同努力，使滬江校運日益昌隆而且日趨茁壯。

82.5.5.

七、大家長的叮嚀

在鳳凰花開，夏蟬長嘶的季節裏，你們走進了人生的另一旅程——畢業。恭喜大家順利完成高中教育，學得一技之長，可以服務社會，貢獻人群，也可更上層樓，再求深造，實在是值得高興的事。

各位同學在滬江學習三年或四年，平時各位老師給大家講了不少爲人處世的道理。今後同學們在人生的道路上只要秉持著平日師長們所傳授的道理，盡心盡力，積極進取，一定能開創出一片屬於自己的美好天地。爲了使同學們能順利達成願望，創造美好前程，在畢業的今天，還有幾點臨別贈言，提供大家參考：

一、要把握人生方向，樹立正確人生觀：社會百態，十分複雜，各位初踏入社會，必須謹愼從事，十分小心才行，凡事要認識清楚，有所選擇，也就是要抱定「有所爲，有所不爲」的原則，不要唯利是圖，要有「人生以服務爲目的」的抱負。凡對國家社會有益的事才可做，違反社會公益的事絕不可做，希望大家多做好事，要做正直的人，讓滬江以你的作爲而引以爲榮。

二、要不斷學習充實自己，以免遭社會淘汰：今天各位畢業並非學習的終止，應是另一階段的開始。今後各位畢業，不論升學或就業，都不能停止學習，升學的同學，固然可以繼續學習，但就業的同學，也要時時不斷的充實自己。現在文明進步發展很快，可說日新月異，瞬息萬變，各位若不能隨時吸收新知，很快就會被時代所淘汰，所以大家要儘量利用機會充實自己。須知「知識就是力量」，要有「活到老，學到老」的精神。

三、要注重人際關係．要善與人合作，樂與人合作，須知目前是一個講求團結合作的時代，凡事不要固執己見，切記「無論今天還是未來，成功是屬於能與他人合作的人」。團結才有力量，團結和諧，衆志成城。

四、要發揚滬江精神．各位自滬江畢業，永遠都是滬江人，所以要時時牢記並且發揚滬江精神，那就是滬江大家庭精神；基督博愛精神；信、義、勤、愛校訓及熱愛母校的精神，使滬江由於你的回饋而更加堅強茁壯。

最後祝畢業同學——

鵬程萬里，萬事如意。

83. 6. 15.

八、期勉畢業學生

時序運轉，歲月不居，不覺又到送別畢業同學的時候了。回顧在滬江服務數十年，每年都會送走一批畢業生，今年將是第二十三次。每年在此時都有不同的感受，但今年的感觸特別深，眞是不勝依依。

回顧滬江在這數十年間有很大的改變，以前的平房現在都變成大樓，雖然以前的操場在不得已的情況下變小啦！但卻精緻化，變成PU跑道，四週花圃，五彩繽紛、花香四溢，大王椰矗立司令台兩旁，神氣十足，教室燈光也亮多了，夏天教室都有冷氣開放，房屋也都變新了，室內設施整潔而現代化，這些都是以前同學無法想像的，可說學校尤其在最近幾年來眞是突飛猛進，就畢業典禮來說也以各種不同方式出現。記得早年禮堂尚未蓋好前，有幾年都是借用僑光堂來舉行，自民國六十六年本校中正堂落成後，才不必再向校外借用場地。至於畢業典禮的氣氛，感到早年比現在要濃郁得多，記得多年前在快臨畢業前幾個月就有同學拿著簽名簿到處找老師、同學，要求臨別贈言或簽名留念，但近幾年好像不流行這一套了。記得當年畢業典禮也十分莊嚴肅穆，同學們的致謝辭，往往讓與會同學們感動得熱淚盈眶，甚至痛哭失聲，會後老師的桌上堆滿了感恩的鮮花，師生之間更有訴不完的離情，此種景象令人印象深刻。

今年輪到各位畢業了，希望你們能以參加歌唱比賽時那種認眞的精神來燙平你的服裝、整肅你的儀容，來參加隆重的畢業典禮，相信你們更能展現無比的熱情，懷著感恩的心，呈現一次更莊嚴肅穆的畢業典禮，給學弟學妹們留下一個最好的典範。

同學們！畢業了，恭喜你們在學習的歷程中又完成一個階段，這一階段的結束，也就是另一階段的開始，相信同學們都已做好最好的打算，不管你們是升學或就業，在校這幾年所學的將是你們最好的後盾，也是你事業的基礎，當然三年所學實在有限，不可能應付瞬息萬變的花花世界，所謂「書到用時方恨少」，就是這個道理。但有些基本原則必須把握，爲人處世的道理不可忘卻，所以同學們離開學校後絕對不能中止學習，一定要抱定終身學習的觀念，時時不忘學習，如此才不至於被時代所淘汰。更要用謙恭有禮的態度去對待別人，如此才能受人歡迎，才會有人樂意跟你合作，才會有成功的希望，更要有所爲有所不爲的堅持原則，發揮潛能，報效國家，服務人群。

當你們飛黃騰達，事業有成時，不要忘記回饋母校，嘉惠學弟學妹們，亦可藉此表達感恩惜福之意，最後祝各位畢業生——

鵬程萬里，萬事如意。

83. 6. 30.

九、讀經・養性——倡讀「三字經」

現在一般年青人一提到「三字經」就認爲是指罵人的話「×××」，根本不知道三字經的眞正意義是什麼，也很少有人讀過三字經，其實三字經是一本很好的啓蒙讀物，適合小孩誦讀，讓高中生來讀似乎嫌太遲了些，不過目前我們的同學大多數都未讀過此書，現在拿來彌補過去的缺失，亦無不可。

前些日子看報載有的學校在教三字經，尤其著重在德育的薰陶；爲人處世方法的傳授，我非常贊同，於是也響應此一教學活動。自本(84)學年起，利用朝會或週會時間向全校同學解說「三字經」，除知識的傳授外，更重要的是強調正確人生觀的建立，以及待人接物方法的實踐。

關於三字經的內容，因版本不同稍有差異，若以三民書局黃沛榮先生注釋本爲準，共有三五四句，一〇六二字，其中有五一二個不同的字，故讀完此書不但可認識五百多個單字，且對學生修養品德及激勵勤奮向學都有很大幫助，本書編輯係採三字一句，故稱爲「三字經」，兩句一韻，便於背誦。

至於三字經的作者，有三種不同的說法，最普遍的說法是宋人王應麟所作，也有人認爲是宋儒王伯厚先生所作。又有人認爲是宋末區適子所作，現在坊間流傳的版本，大多是近人章炳麟民國十七年的重訂本。

由於時代變遷，環境不同，即將步入廿一世紀的今天我們讀三字經必須對某些詞句要賦予時代意義，作正確的解釋，以免食古不化，希望同學們讀此書後能有較好的文化素養，充實精神生活，在潛移默化中培養出文質彬彬的君子風度。

84. 11. 8.

十、紐澳行

第十七屆泛太平洋私立學校教育聯合會今年⒁十月卅日，在紐西蘭北島之奧克蘭市舉行，筆者隨同錢董事長龍韜先生一併前往與會，此次中華民國代表團一行共四十八人，團長為陳璽安先生，因事後到，其餘人員十月廿六日由副團長魏照金先生先行率隊前往，飛行九小時於次日晨抵達奧克蘭，隨即乘車前往威吐摩地下岩洞，觀賞世界第八大奇景——脊爍螢、螢火蟲洞及鐘乳石，乘舟泛遊地下湖，下午續往毛利族最大部落——羅吐魯阿，夜宿該處。

十月廿八日參觀彩虹鱒魚莊及紐西蘭國鳥「奇異鳥」並觀賞剪羊毛秀，然後前往紐西蘭第一大湖——陶波湖。

次日參觀氣勢壯闊的胡加瀑布及世界第一大地熱發電廠，沿途欣賞紐西蘭鄉野風光，成群牛羊點綴山頭曠野十分新鮮，然後至紐西蘭首都威靈頓。

十月卅日由威靈頓飛回奧克蘭的大會辦理報到手續，接著參加開幕式及歡迎會，此次會議由紐西蘭主辦，與會的地區有：泰國、澳洲、香港、中華民國、美國、馬來西亞、韓國、加拿大、印尼、日本及紐西蘭等十一個國家及地區，會期四天。除第一天下午辦理報到舉行開幕式及歡迎會外，第二、三天爲正式會議分別由各與會代表報告各該團教育制度及實況，並穿插幾場專題演講，令人獲益匪淺，我國代表國由陳璽安團長親自以英語報告並回答有關問題，十分精彩。

十一月一日下午舉行綜合討論及閉幕式，圓滿結束兩天正式會議，夜間舉行國際之夜晚會分別由各國代表團表演娛樂節目，我國代表團由全體團員合唱梅花、中華民國頌等愛國歌曲，獲得熱烈掌聲，該日適值本校錢董事長生日，消息發布後全場高唱「生日快樂」爲錢董事長祝壽，引起一陣高潮，並有一位泰國女代表向董事長獻花，董事長亦回贈名貴手錶。

會後又順道去澳洲參觀訪問，曾去澳洲第一大城雪梨，並參觀舉世聞名且爲澳洲地標的國家歌劇院，也去了澳洲首都坎培拉，該市乃事先精心設計規畫建設而成的計畫都會街道方整，綠地處處，確實做到鄉村都市化。由山頂往下望去，有一中央大道跨越葛利芬湖直達國會大廈，十分壯觀，該市有計畫的將各國領事館集中仕一起成爲使館特區，各使館建築各具特色，中國（中共）大使館爲中國古建築宮殿式，金黃色磚瓦，很有中國風味，面積僅次於美國大使館，當我們從牆外走過，心中眞有無限感嘆。那天我國駐紐代表亦曾在國會廣場前與代表們會面表示歡迎，並合照留念。

十一月四日下午由坎培拉搭機飛往澳洲第二大都市墨爾本，那兒曾舉辦過世界運動會，我國田徑選手楊傳廣即在該處獲得十項全能銀牌獎。當晚八時在菲利普島，海邊冒著寒風等待觀賞神仙小企鵝歸巢奇景。

這次也去了昆士蘭渡假聖地——黃金海岸。該處沿海沙灘平直細柔，潔淨如洗，綿亙數十里，不少遊人在游水嬉戲，我們禁不住也脫下鞋襪拉起褲腿下去接受一下南太平洋的海水浸潤。

黃金海岸近郊有一座海洋世界，規模不小，那兒有海豚表演及滑水表演，還有各項遊樂設施，如火山噴火、小火車、單軌電車、直升機等。

在此活動中曾參觀過兩所學校及一所航空工業訓練中心。

參觀的第一所是位於紐西蘭首都威靈頓的「其爾頓聖詹姆斯學校」（Chilton Saint James school）該校爲一中小學女校，校長爲丹娜女士，屬於基督教學院，創立於一九一九年，學校規模並不太大，目前有五百餘學童，實行小班制，每班二十人左右，發現有日本學生就讀該校，他們有意與我們結爲姐妹學校，也想交換學生，細節要等明年該校校長來台後詳談。

參觀的第二所學校是位於奧克蘭市郊的奧克蘭商學院，係由中國人所創立，規模雖不大但環境優美，設有學生宿舍、餐廳、健身房等，該校現有語言學系、商學系、觀光旅遊學系，學程有一—三年不等，高中職畢業可申請就讀。

航空工業訓練中心係與我國桃園之新興工商建教合作學校，由魏照金董事長安排我們去參觀。因適逢假日由該校國際計畫助理總裁負責接待作簡報，然後參觀工廠，該校範圍不小，正在積極擴建中。

十一月七日，由澳洲布里斯班搭機直飛桃園國際機場，結束了難忘的十三天開會參觀旅遊活動。

旅後觀感：此次活動有以下幾項收穫：加強各國私立學校間之認識與情感，了解泛太平洋各與會國的教育制度概況，與會國之間可加強彼此間的文化交流，實地觀察各國環境與國情及學校的各項設施，而給人印象最深的仍當推紐澳的自然環境，優美整潔以及人民守法的精神，實可作爲我們的借鏡與參考。

同時也使人感受「英語」的重要，更可證明本校加強英語教學是十分正確的，希望各位同學努力學習，充實自己，以便將來出國暢通無阻。

85.1.20.

十一、海峽兩岸高中校長研討會

由台北市建國中學及第一女中聯合主辦的台灣海峽兩岸高中教育研討會，於民國八十五年四月八日至十日假台北市第一女中至善樓會議廳舉行。會議主題為「廿一世紀人才培育的目標」。與會人員有北京市中學校長邱濟隆等十五位及台北市縣各公私立校長楊壬孝等廿六位。

四月八日開幕式由建國中學校長劉玉春主持，與會貴賓有陸委會張主委京育、教育部中教司卓司長英豪、台北市教育局吳局長英璋等，他們都發表談話表示祝賀與期許。接著由中正大學校長林清江博士專題演講，講題為「學習社會的高級中學等教育型態」。演講十分精彩，提出很多新的觀念，讓與會人員均感受益匪淺，得到很大的啓示。

以後兩天之內連續召開五場研討會，一共發表十五篇論文，其中北京校長有九篇之多，從這些論文中可以瞭解兩岸高中教育的制度及理念，以達到兩岸溝通與交流的目的。北京方面強調培養廿一世紀高素質人才，兼有傳統素養與宏觀視野的國民，要求學生自主、自律，富有社會責任感，並注重培養非智力因素，以增進學生學習活動。台北方面也把我們現正推行的綜合高中、民主化教育、高中輔導工作等特色加以介紹。最後一場兩岸對資優生各自發表意見，各有異同，可資借鏡。四月十日下午綜合座談，兩岸就有關教學實質問題交換意見，並各訴校長苦衷，發言十分熱烈，有意猶未盡之感。閉幕式後在依依不捨的氣氛下圓滿地結束了這次富有意義的兩岸文化交流會議。

此次研討會中得知大陸高中教育概況，有些是與我們不太相同的地方，特提出供大家參考：

第一、他們在教育內容方面只強調德、智、體三方面而不提群育與美育。

第二、他們的高中教師施行分級制；剛大學畢業到校服務的稱爲「見習教師」；服務一年以後稱爲「二級教師」；服務五年以後稱爲「一級教師」；任一級五年以上可成爲「高級教師」；最高一級稱爲「特殊教師」，需有特殊才能或表現才可獲得此殊榮，據說全中國僅四十餘位而已。

第三、教師待遇：以高級教師來說，由政府統一支付部份約五〇〇元人民幣，各校自行籌募部份，因各校狀況不同，大約亦有五〇〇元左右。每級相差不到一〇〇元。

第四、週休二日：星期六不上課，不過也有些學校利用週六舉辦活動，或課業輔導。

另外，由資料中發現他們的學生代表會的代表是採取民主方式而產生的，我想這是非常重要的一點，可說這是中國人的希望，也是加速中國統一的原動力。

85.5.8.

十二、說孝經

自上學期開始利用每日朝會時間爲全校學生講解三字經，想藉以培養學生的文化素養，並鼓勵學生們努力向學，歷經數月方告完成，勢必對他們會發生些作用，有些良好的影響。深感目前一般青年學子，功利思想太重，傳統文化素養欠缺，以致形成社會混亂。青少年問題層出不窮，爲了正本清源，根本解決之道，實應加強我國傳統文化的灌輸倫理道德的培養。語云「百行孝爲先」。我國一向重視孝道，於是決定進一步給學生解說孝經，期能改變他們的觀念與行爲，以建立其爲人處世的堅實基礎。

孝經序中說孝經是孔子所作，其目的在闡明君臣父子之行，內容共十八章。孝經緯曰「孔子云：欲觀我褒貶諸侯之志在春秋；崇人倫之行，在孝經。」由此可知，「孝經雖居六籍之外，乃與春秋爲表矣。」足以說明孝經的重要。前人說孝經是孔子爲曾子所說，並不正確。因在孔子弟子中曾子最爲孝順，孔子只是假借曾子以設問對答方式來闡明孝道而已。暴秦焚書時，孝經被燒，漢時復昌孝道，河間顏芝所藏之孝經又流傳於世。自西漢歷魏、晉、五代註解孝經的不下百家。至唐初傳行的有孔安國、鄭康成兩家的註解，並有皇侃義疏，但辭多紕繆，理義欠明。至唐玄宗時採菁去蕪，重新註解。

至天寶二年註成，頒行天下，並勒於石碑，流傳至今。今附孝經；開宗明義章第一；「仲尼居，曾子侍。子曰：『先王有至德要道，以順天下，民用和睦，上下無怨。汝知之乎？』曾子避席曰：『參不敏，何足以知之。』子曰：『夫孝，德之本也。教之所由生也。』復坐，吾語汝：身體髮膚，受之父母，不敢毀傷，孝之始也。立身行道，揚名於後世，以顯父母，孝之終也。夫孝始於事親，中於事君，終於立身。大雅云：『無念爾祖，聿修厥德。』」

85.6.7.

十三、退休講辭

董事長各位貴賓、各位董事、各位老師及同仁大家好！

首先感謝各位撥冗前來參加觀禮，使我們感到無上光榮。

時間過得飛快，不覺在滬江服務已廿三年，之所以能在滬江待這麼久，實在由於他有吸引人的地方：

一、董事會健全辦學理念正確，本著基督精神，實施愛的教育。

二、學校有優良的傳統，承襲滬大「大家庭」的傳統，大家和睦相處，同仁們受到禮遇與尊重，人情味濃。

三、學校有良好的制度，每位同仁都能各盡本分，使校務能順利推行。

四、交通方便，環境幽雅，在這數十年中結識不少朋友，學到很多東西，也獲得不少協助，實在值得我永遠懷念與感謝。

首先讓我懷念的是劉校長廉一先生，他讓我有機會到滬江來服務，他可說使滬江起死回生。再就是汪乾文校長他的修養功夫、得體的談吐值得學習，他協助私校退撫金的實現功不可沒。值得我感謝的有王校長申望、王前董事長國琦先生，他讓我有機會擔任滬江校長。再就是現任董事長錢龍韜先生由於他的全力支持與指導，使滬江在這幾年中有很大的進步與改變。

有一位學生週記寫著：「暑假未到校，結果學校把操場變漂亮啦！紅色跑道、綠色草地、高聳的大王椰及五彩繽紛的牽牛花，使人看到心曠神怡」。北一女丁亞雯校長說：「你們學生的氣質不錯……有些設備比我們好」。我們的電腦比她先進，我們的教室有冷氣，他們沒有。大安高工楊金聲校長帶輔導團到學校參觀後說：「比他想像中的滬江要好得太多」，因他從未到過滬江。其他來賓到滬江來都會直覺的說「你們的學校很漂亮、很乾淨、很新」。

很高興聽到這些讚美之詞，這些都應歸功於董事會正確指導與全體同仁的密切合作所造成的結果，在此深表感謝。

我在滬江服務廿三年（八三九五天），其中五年擔任校長，隨伴走過三分之二的目前滬江歷史，親眼看到滬江的成長與茁壯，可說滬江逐年都在穩定中成長。

今後滬江將進入一個新的里程，希望全體同仁在新校長（徐立）的領導之下，團結合作，使滬江更精進、更發展，創造光輝燦爛的明天，最後祝

滬江校運昌隆

各位貴賓身體健康，萬事如意。

85.7.15.

十四、告別同學講辭

董事長、各位主任、各位老師以及親愛的同學們大家好：

本人將於本月底因年齡關係而辦退休，因此這也是在校長任內最後一次給同學講話，依依之情油然而生，也使我眞正體會依依不捨的滋味。最讓我不捨的是各位同學，因各位都是我給你們招進滬江來的，而未能送各位畢業不無遺憾。

回顧本人在滬江服務已有廿三年之久，我的一生有三分之一在滬江度過，依滬江的歷史來看，我有三分之二的時間與它共同度過。

滬江在歷任校長滲淡經營下已奠定相當穩固的基礎，尤其最近幾年，在董事長擘劃下及董事會全力支持之下，進步特別神速，目前滬江已是一所相當不錯的綜合中學，各位能進滬江就讀，可說十分幸運，所以大家要好好珍惜，充分利用以充實自己，奠定將來事業的基礎。滬江不但有完善的設備，優良的師資，更有純樸的校風，它是一個愛的園地，也是一個讀書的樂園，我們學校絕對尊重同學的人格，嚴格禁止體罰，有合理的管理制度，旨在培養同學健全人格，讓同學養成尊重自己，也尊重別人的良好風範、人格特質。

校長的職責在爲同學營造一良好的讀書環境，爲大家禮聘優良師資，更重要的是激勵同學奮發向上，這些我可以說都在努力的做，也有相當成效，值得欣慰。

滬江同學有很多讓我感到欣賞的，如每天看到同學大清早到校清掃環境，選手在操場苦練，那副認眞的態度令人感動。平時服裝整齊，溫文儒雅，彬彬有禮，臉帶笑容，實在讓人欣賞，不禁要讓人脫口而出的說：「你們眞可愛」。因爲你們充分表現出滬江同學們高雅的氣質。

又如當軍歌比賽或啦啦隊比賽時，你們用盡心思，出盡奇招，服裝燙得筆挺，表演動作全力以赴，那種爭取榮譽的精神更令人敬佩。

爲了培養同學具有中華文化氣息，激勵同學奮發向上，不辭勞苦每日朝會爲大家講述三字經及孝經，雖然少數同學有些怨言，但日後會對同學有正面的影響，希望大家不要忘記我提出的五大要求：禮貌、整潔、秩序、服務、勤學，來要求自己、磨練自己。

最後臨別贈言：「奮發向上、力爭上游，堅毅不拔、積極進取」相勉，希望在新校長領導之下繼續努力，充實自己，順利完成你們的高中教育，進而開創美好的前程。

祝

大家學業進步！身體健康！

85.7.15.

十五、談國家統一問題

一、緒　言

自十月三日東、西德統一以來，國人深受感動，遂大談統一問題。韓國受到鼓舞，南北韓也在會談，希望不久亦能統一；國人當然會想到自己，我們什麼時候才能統一？如何統一？學者專家傳播媒體亦紛紛討論並屢爲報導有關統一問題。

統一是國家大事，與每位國民切身相關，值得大家討論與關心，所以今天利用機會跟大家談一談國家統一問題，提出一些意見供大家參考。

二、為何要統一

㈠從歷史觀點來看：中國自秦漢以來，即是大統一局面，數千年來偶有分裂，但總是合多分少，合長離短。

㈡從台灣與大陸關係來看：自十七世紀初，台灣即爲中國領土的一部份。當時居民多爲明朝的忠臣義士和土著，今日台籍人士的祖先多是一六八四年清朝在台建省後移民台灣。再在民國三十八年以後來台也爲數不少。

㈢從人種來看：台灣大多人來自閩南及廣東南部，都是炎黃子孫、中華民族的後代。

㈣從文化來說：文化包括生活、語言、宗教、風俗習慣。台籍人士多說閩南話和客家話，講到生活習慣，宗教信仰等，都與中國大陸的親族相同，他們的廟仍在台灣海峽對岸。

㈤從世界潮流來看：共產制度被世人所唾棄，共產政權日趨崩潰，東、西德業已統一，南北韓不斷會談，預定不久亦將統一。

㈥從海內外中國人的意願來看：統一可說是所有中國人共同一致的意願。

㈦基於當前國人對中華民族的責任心與使命感：

1.國父在民國十三年便說「統一是中國全體國民的希望。能夠統一，全國人民便享福；不能統一，便要受害。」

2.我們不容許同樣在中國的土地上，一邊是富裕繁榮，一邊是貧窮落後，一邊是民主自由，一邊是黑暗奴役……。

3.基於上述種種理由，中國必須統一，也必將統一，但應如何統一，據各家意見略述如次：

(1)順應世界潮流。

(2)國家明確的目標。

(3)消除不確定感。

李總統登輝國慶祝詞：「中國只有一個，應當統一，必將統一，任何一個中國人都不能自外統一的責任，也不應自外於統一的努力。」

三、如何統一

㈠堅持以「自由、民主、均富統一的目標」爲政治民主化。

㈡不應爲統一而統一，應爲提高人民福祉而統一。

㈢不應限定統一於「一國兩制」之下，而應在現狀下雙方尋求協商與調適，互相提升經濟自由化，政治民主化，以求水到渠成的統一。「一國兩制」乃強制性統一。

㈣盡力提升在政策與法律許可下的經貿交流與發展，藉以迅速發達大陸經濟與工業，提升人民生活水準，使經濟繁榮，成爲民主化和自由化的催化劑。

㈤雙方應切實消除敵意，大陸若放棄以武力犯台，必有利於和平統一，當務之急，是雙方應盡力，除去有敵意的宣傳，代替以客觀、務實的文宣工作。

㈥多做人道方面的溝通與協商，以解決時而發生的事件。

㈦以實際行動代替空口宣傳：參加亞運，統一氣氛直線上升，並提出「我助你辦世運，你助我辦亞運」，結果北平一個否決壓殺了台灣辦亞運的希望，無異對「統一」熱情潑了一盆冷水，引回敵意的感受。

㈧德國杜勉的建議：

1.政治改革和民主化。

2.克服環境污染。

3.發展社會福利制度。

4.繼續經濟開發。

5.在大陸投資。

6.繼續發展非官方關係。

六、統一的障礙

外交孤立，政治否定，經濟拉攏文化滲透，軍事威脅。

㈠「一國兩制」：國——中華人民共和國；兩制——共產制度，三民主義制度。

「一國兩府」：國——中國。兩府——兩個政府。

「一國兩區」：國——中華民國；兩區——大陸、台灣，政治地位平等，含有「一國兩制」之實質，雙方均爲中央政府，或地方政府。

「一國良制」：自由、民主、均富，統一中國。

㈡目前對岸尙未有新聞自由，並未允許反對黨的設立，所以兩岸談判時機尙未成熟。

㈢中共無誠意配合，無善意回應，且有大量民間交流。

㈣目前癥結在於兩岸間能否達成共識，如有任一方反對，成功機率微，反之，只要雙方捐棄成見，統一即可順利完成。

另一障礙是少數人唱反調，提出所謂「台灣事實主權論」。好像與現實相符，於是引起部分人士的附合與認同，進而支持「台獨」，此一論調十分危險，足以引導國人作出違背自身前途與福祉錯誤的決擇。提出幾點供參考：

㈠短程：「台獨」擾亂了生存發展的有限平衡。

㈡中程：互動觀點，破壞兩岸，互利互惠的機會。

㈢長程：發展觀點，它剝奪了未來在台灣的中國人朝向大陸拓展前途的空間。

五、統一時間表

㈠鄧小平呼籲台灣早日和平統一，五年統一計劃：

1. 英國首相邱吉爾在一九四四年曾預測東歐共產國家會在他有生之年爆炸，卻在他死後卅年才爆炸。

2. 前西德總理史密斯，於六年前美國耶魯大學預言「東西德統一，恐怕要花一個世紀才能完成」，但在六年後的今天已完成了。

3.鄧小平曾經希望在他有生之年中統一台灣，除非中國大陸像東德一樣，廢除共產政權，採西方民主制度，不然鄧的希望必成幻夢。

3.何時統一並不重要，重要的是統一的時機是否成熟？目標是否達成？中國歷史悠久數千年，我們所應留青史者，是一個民主、民富的統一中國，而不是一個虛有其表、強制合拼的國家。

㈡李總統於國統會宣示：「中國的統一不是遙不可及的夢想」。

㈢德國杜勉教授：中國統一，一定要在社會主義和共產統治完全失敗之後，才可實現，就像德國一樣，這個時機是在三——十五年之後。

㈣新加坡總理李光耀，預測中國統一要在四十年以後才可實現。

㈤陶伯川先生擬定國家統一三階段，以結婚比喻：先交往（交流）再訂婚（成立聯邦），最後結婚（完成統一）預計也要三、四十年。

六、未來展望

㈠李總統在國慶談話中對中共的呼籲：認清大勢所趨幡然改圖，放棄一黨專政，施行民主政治與自由經濟制度，雙方只有在尊重民意的前提下，才有達成共識的可能，唯有致力建立共同的政治理念與生活方式，才是促進雙方互信互助的根本之計。推動「中國統一」只是爲所有中國人與後代子孫，追求未來光明發展機會的契機。

㈡李總統在雙十國慶談話：只要復興基地的建設不斷充實壯大，主導未來中國統一的大任，必將由我們承擔，但是謀求未來的統一，必須不危害復興基地的安定與安全。

㈢由國際局勢的演變，及海峽兩岸民心的向背，使我們對復興基地的前途充滿了自信心，使我們對共產主義的崩潰充滿了自信心，使我們對中國統一的未來更充滿了無比的信心，讓我們手攜手心連心，向前邁進，讓我們發揮中國人的智慧與潛力，以具體的成就向世人宣告，中華民國正邁向一個光明燦爛的新時代。

79.7.18

十六、令人敬佩的王校長

王校長申望女士，主持滬江校務，十有餘年，在此期間，由於她的全心投入，精心策畫，不論在物質建設或精神建設方面均有長足進展，成績斐然，建樹卓著，不僅使校譽蒸蒸日上，且爲未來發展奠定堅實基礎。至於她的辦學精神及爲人處事的態度，更爲人所稱道，亦爲全校師生樹立了良好的典範。

當王校長剛到任時，學校情況並不理想，可說招生困難，經濟拮据，校舍陳舊，聲譽欠佳，在校學生多存有自卑感。但王校長到校後，積極從事改革，首先大幅調整教職員待遇，提升士氣，進而更新校舍，建立制度，使學校很快步入正軌。

六十六學年度起，參加台北私立高中高職聯合招生，情況好轉，經濟狀況改善，加之校長善於理財，履行節約，因之校舍陸續興建、設備日漸充實，十年之間完成主要建築有：大禮堂、游泳池、商科教學大樓、電子實習大樓及圖書館等，同時對原有教室亦加以改善，如加舖地磚、粉刷外觀等，使所有校舍均煥然一新，在美化校園方面亦煞費苦心，經年累月，長期培植，已使校園美如公園，尤其前操場那塊綠油油的草皮更視爲無價之寶，亦爲其他學校所罕見，故每當校外人士前來參觀均稱羡不已。

在精神建設方面，首先訂定行政章則，建立各種制度，鼓勵教師進修，提升教學水準，目前學校教師具有碩士資格者有十餘位之多，如遇教師出缺，均行公開甄選，故目前學校教師均爲合格優秀教師，且各學有專長。

由於校長平日待人誠懇、謙和，處處尊重別人，處理問題多採民主方式，十多年來已使滬江形成一個溫暖的大家庭，同時培養出一股牢不可破的團隊精神。校長亦經常與學生接觸，除每年新生訓練時，爲新生講述滬江傳統外，每學期均定期至各班與學生談話，聽取興革意見，如此不但增強學生愛校心，亦培養一股親和力，所以全校學生都十分愛戴她、尊敬她。

大家公認王校長是一位教育家，因她具有崇高的教育理念，平時特別重視愛國教育及品格陶冶，主張五育均衡發展、教學正常化、強調身教重於言教、鼓勵教師要以身作則，實施愛的教育，每當學生犯過，她不主張輕易記過或開除，多指導老師以愛心去感化他、輔導他，使其改過遷善。

至於王校長的爲人，更爲人所稱道，經常看她面帶笑容，和藹可親，處處關懷別人，鼓勵別人，眞是一位仁慈的長者，且她的思想縝密，操守清廉，處事大公無私，有理想、有原則，無一不可作爲我們的典範。

總之，十多年來，王校長已使滬江改頭換面，脫胎換骨，不但袪除了學生的自卑感，亦爲大家建立了信心，帶來榮譽，當她功成身退，退休前夕台北市教育局長所頒贈的「功在教育」，董事會所頒贈「功在滬江」均當之無愧，她眞是一位令人敬佩的好校長。

十七、研習易經心得

廿六期二六一三五八　裴尙苑

此次有幸能參加中華民國周易學會第廿六期易經班，當歸因於臺北市教育局於民國八十五年五月十四日在臺北三興國小所舉辦之「易經講座」。當時邀請易經大師吳秋文先生主講，對象爲臺北市中小學校長及教師，本人即爲其中之一。由於吳老師口齒清晰，講話風趣，深入淺出，主張「易經生活化；生活易經化」，使聽衆產生極大興趣。本人一向偏愛易經，聽過此次演講後更是興趣倍增，遂欲繼續鑽研，據悉當時廿六期名額已滿，幸賴負責人施秋景先生特別通融，增額接納，並安排於前座，以及施太太多方協助，十分感激，特此致謝。

廿六期自八十五年六月九日開課以來，至今已逾一年，開課當天發現學員竟有七百餘人，使人感到驚訝，想不到會有如此壯大場面，由此可見吳老師的魅力，最初使我懷疑是否有什麼宗教彩色，或迷信成分存在，但經一年來的證明是完全純正的學術研究，以及中華文化的傳播工作，尤其吳老師一年從未缺課、遲到，這種敬業精神令人敬佩，一年到頭吳老師總是一襲白衫，雖經寒冬仍不例外，如此功夫非常人所能及。

每次上課講台正中央高懸孔子遺像，全體恭行三鞠躬禮並向老師行敬禮，如此尊師重道頗富社會教化功能，可謂對國家社會一大貢獻，吳老師眞正實現了孔老夫子的「有教無類」的理想，所教的對象不分學歷與年齡，一視同仁，且大家都聽得津津有味，歷久不衰，實在難能可貴。

每月雖僅授課一次，但吳老師教學得法，循序漸進，由淺入深，已使學者對易經有初步認識，略具基礎，不但灌輸研讀易經的正確觀念—「是要提昇易學精神，發揮天人相感之意，體天察地，以仁義之道，修己以安人」，同時指出研究易經的次序，是要從河圖、洛書開始，「蓋天地的造化根於易，而易的本源爲圖象。易圖象的原始即是河圖，洛書」。進而研讀四傳（說卦、序卦、繫辭、雜卦），經文，不但要明卦、研象、更當知爻，通象，如此方能融通全易大旨。具體心得：

一、先天八卦與後天八卦：以前不知八卦有先天後天之分。如今才知先天八卦係伏羲氏所創，以八個符號分別代表天地間自然現象，故謂先天八卦；後天八卦爲文王所畫，二者方位不同。後天八卦的排列程序：震↓巽↓離↓坤↓兌↓乾↓坎↓艮。離南、坎北、震東、兌西。先天則是乾南、坤北、離東、坎西。順序爲1乾2兌3離4震5巽6坎7艮8坤。

二、河圖與洛書：河圖、洛書二者爲易卦之本，「河出圖，洛出書，聖人則之」。

㈠河圖歌：天一生水，地六成之。地二生火，天七成之。天三生本，地八成之。地四生金，天九成之。天五生土，地十成之。一六在北，二七居南。三八居東，四九居西，五十居中。另有歌曰：一六共宗，二七爲朋，三八成友，四九同道，五十相守。天表奇數爲陽其各計廿五，地爲偶數爲陰其和計卅，天地之數共計五十五。奇偶配合而生化無窮。河圖之要義不外「二氣五行」而已。

㈡洛書：洛書歌：戴九履一，左三右七，二四爲肩，六八爲足，五在中央。

河圖與洛書同屬氣數，而象異，蓋河圖爲氣數之大體，洛書則爲氣數之變化。洛書由河圖演變而來，河圖屬先天，洛書爲後天。河圖五十，陰陽合體，融於洛書之中，只見五不見十，五居中不變。洛書中一與九相對，二與八相對，三與七相對，四與六相對，其各皆爲十，天地以五爲中心，五行以土爲根本，萬事萬物以中一爲立極。

三、「五十以學易，可以無大過矣」：一般學者多對孔子這句話有所誤解，他眞正的意思是指學易者惟有對河洛下一番功夫，對五十之數徹底了解，才能本天地之心，發揮良知良能，把握天地造化之機，凡事本乎理，則必無大過。

時間過得眞快，一年已過，易經班即將結束，再次感謝吳老師及施秋景先生，希望能進入「中級班」繼續研習，以探索易學之奧密。

十八、越南行

最近有機會赴越南參觀，特將所見陳述如次，以供分享。

十月十八日首先到達越南胡志明市（原名西貢）。由於越南現爲共產主義國家，雖已採開放政策，但對外匯管制仍然甚嚴，旅客出入境時須詳塡所攜貨幣數目，有位同伴即因所塡外幣數目與實際不符，於通關時遭受留置，詳細核對以致延誤行程，甚至失去遊興而提前回台。

進入市區後，首先發現他們的交通工具多爲腳踏車或爲五十C.C.輕型摩托車，極少汽車行駛。市區房屋大多是二層樓建築，且大部份是法國人統治時所遺留下的，久未整修、破損不堪，沿街多爲設攤小販，很少有像樣的商號。市民穿著亦不考究，婦女多穿短衫、長褲，很少看到穿著越南傳統式長旗袍開高叉隨風搖曳的風情。

令人印象最深的是市內乞丐特多，每當我們自餐館出來至某地參觀，都會引來一群大大小小的乞丐，伸手要錢，糾纏不已，很難應付。越南人民生活情形，由此可見一斑，據說治安情況非常不好，旅客夜晚都不敢外出。同伴中就有一人在日正當中時被扒的實際經驗。

南越現爲北越所統一，表面上一律實行共產主義，但實際上南北越仍有相當差距。南越較自由，北越較封閉。

越南的災難據觀察來自兩方面，一爲共產主義制度。一爲越南戰爭，越戰前後歷十餘年之久。不僅使越南人的生命財產遭受嚴重損失，就連美國人也犧牲不少，最後被越南的民族意識所擊敗。我們曾參觀越戰遺跡，那就是距胡志明市不遠的「古芝地道」，爲越共避免美軍轟炸而掘的地道，總長二五〇公里，且分上、中、下三層，地道高不及八十公分，寬約五十公分，僅容一人屈身通過。其中有廚房、會議廳、指揮所、醫療所及供飲水之水井、防敵人侵入之陷阱，每隔一段均設有通氣孔，通往地面，但經掩蔽後很難發現。越共多晝伏夜出，偷襲美軍。接著去參觀了所謂的「美軍越戰罪行館」，在那兒看到越戰時所使用過之各式各樣武器，包括坦克車、飛機、大砲及六噸重的炸彈，並展示一些戰爭慘烈照片及統計圖表等。同時看出越南人的民族意識及反美情緒，這也是越共獲勝的主要憑藉。

十月廿日又去河內參觀，河內現爲越南首都，但在河內看不出繁榮景象，沿街只有擺攤小販，沒有擁塞的車陣，只有法國式的古老建築，沒有新建的房屋，到鄉下時，有機會看到一家民宅，床上只有一張草蓆，沒有看到棉被及衣物，可說「家徒四壁，空無一物」，正好一位老人在用餐，桌上只有一碗白飯，少許醬油，一碟小魚，半碗榨菜而已，生活淒苦由此可見。

自河內經海防至下龍灣，車行六小時，爲唯一觀光勝地，海中有三千小島星羅棋布，山勢陡峭，形狀各異，有如石林，曾有人譽爲「世界八大奇景之一」，風景之美，可以想像，乘船穿梭其間，陽光普照，清風徐來，此時煮鮮蟹，配美酒，誠一大享受。越南值得觀光之處，可能僅此而已。

越南有廣大的平原，肥沃的土地，淳樸的民風，理應十分富有，戰前曾有「世界糧倉」之美譽，但經連年戰火摧殘，人民生活塗炭，民不聊生，而實行共產主義，更是雪上加霜，苦不堪言，不禁要回頭看看我們自己，實在太幸福了，但有些人卻身在福中不知福。希望大家能珍惜這份得來不易的安定與繁榮，繼續努力，創造更美好的明天。

十九、美、加見聞

第十三屆泛太平洋私立學校教育聯合會、於八十年十月十一日至十四日在加拿大溫哥華市舉行，我國私教協會組團參加，本人有幸參與盛會，茲將所見略誌如次以供分享。

本屆會議由加拿大主辦，會議主題爲「第十三屆泛太平洋私立學校教育聯合會議後各國教育發展」。會議地點在加拿大溫哥華巿，與會國家有：中華民國、美國、日本、韓國、菲律賓、澳洲、印尼、紐錫蘭、馬來西亞、加拿大等十國。代表二百餘位，其中我國代表有五十四位之多，人數爲各代表國之冠。

會議內容：主要有四次專題演講，其次由各國報告各該國教育概況，綜合討論。另外安排有參觀活動等。

在專題演講方面：由於加拿大主辦單位聘請加籍教授羅賓博士主講「何謂才智」？柯爾席教授主講「加拿大之教育制度」，道格拉斯博士主講「加拿大教育與太平洋邊線大學所扮演的角色」。以及彼得博士主編「學生心理健康」等，都有精闢見解，獲益良多。

在各國報告中，馬來西亞代表曾提出建議，希望此一組織更能發揮積極作用，如賑災救濟等，因印度代表報告時曾播放印度火山爆發時之錄影帶，希望大家能伸出援手救濟災民，當時各國代表曾有熱烈反應。

在參觀方面：會議期間，我們實際上只參觀一所加拿大私立學校，規模並不大，但環境很好，設備不錯，發現他們的班級學生很少，大都在二、三十人左右。他們非常注重學生作業展示，另外我們參觀了史坦利公園，吊橋等。會議結束前夕，由泛太平洋私教聯合會會長晚宴招待，並由各國代表表演歌舞同樂惜別，我國代表團合唱「中華民國頌」、「高山清」，博得不少掌聲，會中決定下次會議在馬來西亞舉行，此次會議於十一月十四日下午圓滿閉幕。

旅遊記勝

會議結束，展開旅遊活動，先到離溫哥華不遠的維多利亞島上遊覽恰布花園，園內萬花集錦、草木翠綠、美不勝收，然後乘車到美國西部西雅圖，在該市參觀了華盛頓大學，華盛頓湖畔的船梯、太空針塔（高六〇五呎），波音航空公司展覽館等。

十月十六日由西雅圖乘機經舊金山轉飛世界聞名的賭城——拉斯維加斯，該城四週全為沙漠地帶，草木不生，城內卻因吸引大批世界各地觀光客及賭徒而顯得十分繁華，次日，本預定經舊金山轉飛加拿大多倫多，但因飛機誤點脫班，結果改變行程飛到芝加哥住宿一夜，隔天才重返加拿大多倫多。在那兒暢遊世界大瀑布，傍晚並登上世界最高的廣播電視塔（高一八一六呎），並參觀了多倫多大學。接著乘遊覽車前往加國首都渥太華，參觀國會大廈，和平紀念塔，旋即駛往加東大城蒙特婁，在那兒看到奧林匹克運動場特殊建築及諾丹大教堂。

十月廿日下午離開加拿大再度進入美國，車行七小時於晚上八時許才進入世界第一大城紐約，次日，參觀自由女神，遊覽市區名勝，如洛克斐勒廣場、百老匯、華爾街、聯合國大廈等。並登上帝國大廈一〇二層，俯瞰紐約市，四周風光，盡收眼底。

十月廿二日抵達美國首都華盛頓，參觀了國會大廈、白宮、華盛頓紀念碑、林肯紀念堂、傑佛遜紀念堂、硫磺島紀念碑、越南陣亡將士紀念碑、威靈頓公墓等，風塵樸樸度過辛苦的一天。次日一大早驅車前往維吉尼亞州參觀深入地下號稱北美最大的魯瑞鍾乳石洞，不過我看還不如我國廣西桂林之蘆笛岩壯觀。

美東旅程結束後，於十月廿三十下午由華盛頓杜勒斯機場乘聯合航空公司班機，再跨越美國大陸經史坦佛機場飛往美西第一大城——洛杉機，休息一夜，次日便乘國泰班機，再經國際換日線，直飛香港轉回台北，兩週的開會及旅遊就此圓滿結束。

旅遊觀感

此次開會及旅遊為時兩週，飛越半個地球，橫跨美國大陸兩次，遊覽美、加兩國，共訪十三個主要城市坐了不少次飛機，住了十餘家旅社，除前三天同住一家旅社外，以後每天換一家旅社，眞所謂走馬看花。不過美、加兩地為余初次前往，故一切仍感到新奇，也難免有些感觸。

首先使我印象深刻的是，美、加兩國都是幅員廣大，人口稀少，風景幽美，尤其加拿大秋天的楓葉，實在令人著迷，到處五彩繽紛，將世界妝扮得十分瑰麗，難怪加拿大要以楓葉爲國旗標幟，的確是他們的特色。

其次是他們的公共設施完善，並且維護得很好，我想這與國民公德心及守法精神有關。也可以說與國民教育有關、與此相關連的還有他們的交通秩序，也讓人讚賞，每個司機都非常守秩序，絕不爭先恐後，而且很守本分，不但車子保養得十分整潔，服裝也很整齊，對客人很有禮貌。斑馬線行人有絕對優先權。令人羡慕。

再來是外國治安良好，家家都沒有鐵門鐵窗，甚至商店打烊後僅關上玻璃窗而已，裡面珍珠寶物一目了然，但卻毫無顧忌，不怕偷搶。

旅遊途中深感學習英語的重要，因到處所有文字標示全是英文，與人溝通要靠英語，機上宣布事件是用英語，吃飯點菜要用英語，可說時時刻刻離不了英語，所以奉勸同學要把握機會學好英語，將來週遊世界將暢通無阻，不然你將成爲一個耳聰目明的「聾啞人」。

最後要說的是一連幾天的西餐，全是生冷食物，讓人消受不了。所以每到一處，儘可能大家還是希望享用中餐，中國人的飲食文化，風味多彩多姿，非外人可比。

古人說：「行萬里路勝讀萬卷書」，的確不錯。此次美、加之行，爲時雖僅兩週，但所見所聞，收獲頗豐，只因篇幅所限，無法詳述，希望以後同學們亦能有機會前往，親身體驗，以增廣見聞。

80. 11. 8. 校刊

二〇、回顧滬江

滬江中學係由上海滬江大學校友們，於民國四十七年五月間所創立，旨在承傳滬大精神，故校歌、校訓均與滬大相同。當時即為一所具有高、初中部的完全中學，不過每年級僅兩班而已，規模不大。至民國五十七年政府拓展職業教育，因之停辦初中部而增設職業科，以後又陸續增設夜間部及補習學校，經數十年來的發展成長，目前滬江已成為一所設備完善，頗具規模的綜合高中，筆者有幸能在該校服務二十三年之久，深感榮幸。

回顧初進滬江時，學校主要建築只有一幢四層工商大樓（信義樓）及兩棟平房教室（現已改建為中正堂及嵩慶樓），另外一棟兩層樓的「思雷堂」（現改建為電子樓）及一座平房辦公室（即天文堂）。當時學校處境艱困，幸賴劉廉一校長，以軍人作風大刀闊斧，亟力整頓，使校風丕變，顯露轉機，不幸劉校長主校不久，即因病赴美就醫不返，令人惋惜。

六十三年八月王校長中望到校視事，力求改革，勤儉治校，大樓一幢幢接連興起，先是中正堂，接著勤愛樓，然後游泳池、電子樓、天文堂陸續完成，可說使學校脫胎換骨，完全改觀。另外訂定章則，建立制度，使學校步上正軌。大幅調整教職員工待遇，士氣大振。更難得的是凡事採民主方式，一切以教育爲著眼，倡導「學生第一，教師至上」，她眞正承傳了滬大的「大家庭精神」，使滬江同仁和睦相處，不分彼此，猶如家人，總之，王校長對滬江貢獻，有目共睹，令人敬佩。

王校長退休後，由富有經驗的前松山商職校長汪乾文先生接任，由於汪校長與商教協會的關係，讓滬江中學承辦全國珠算檢定比賽，全國會計、簿記檢定考試，均圓滿達成任務，獲得好評。汪校長對私立學校最大的貢獻是參與策劃及爭取私校教職員退休制度的建立，在其任職期間，也使滬江平順度過五年，且有所成長。

汪校長退休後，承董事會信賴，付以重任，能有機會主持滬江校務五年，在此期間由於王董事長國琦、錢董事長龍韜的親切指導與全力支持，使校務蒸蒸日上，在建築方面完成了嵩慶樓的興建，操場舖設PU跑道，信義樓、勤愛樓、電子樓外牆新貼磁磚，純白磁磚，使學校有煥然一新之感，全校裝設空調，提升學校生活品質。在學生人數方面，日夜合計三千餘人，創歷年最高紀錄，升學人數亦年有增加。在待遇方面，盡最大努力比照公立薪資結構，逐年調整。學校亦曾舉辦多項校際活動，如教學觀摩，暑期研習營等，來指導的上級長官及參與的校外人士，對學校各項設施均讚不絕口，使同仁們得到無限鼓舞，這些令人欣慰的表現皆爲全校同仁同心協力的結果，在此讓我誠心地向當時一起工作的同仁們說聲「謝謝」！謝謝大家的合作。

八十五年退休後，由現任校長徐立先生接任，徐校長精明幹練，頗富行政經驗，我曾返校數次，看到學校環境整理得更加精緻、美麗，猶如置身花園一般，尤其游泳池，光潔亮麗，頗吸引人，相信滬江在徐校長領導之下，定能蓬勃發展，更上層樓，使滬江大放異彩。

滬江校慶原爲每年五月五日，適值梅雨季節，各項校慶活動常受天雨干擾而無法實施。八十二年校慶時，舉辦閱兵典禮，突然大雨淋瀝，操場積水盈尺，大閱官錢董事長及受閱師生，都淋得全身濕透，但大家均不爲所動，照常進行，充分發揮滬江精神。事後錢董事長提議更改校慶日期，並積極改善操場排水系統，以免日後校慶再受梅雨干擾，經董事會討論決定改爲每年十一月五日，與上海滬江大學校慶同一天，如此更有意義。

欣逢滬江高中四十週年校慶，謹以誠懇而歡樂的心情祝福

滬江校運昌隆

全體師生健康快樂。

87.11.5

附錄一：

我所認識的裴校長尚苑先生

員貞心

滬江高中新任校長裴尙苑先生，山西省平陸縣常樂村人，民國十六年生。民國廿六年日人侵華，廿七年二月間，山西中條山即已發生事變，從此敵我雙方就在中條地帶展開拉鋸戰，一直打了八年，裴尙苑就在此種戰亂之情況下長大。但裴尙苑並未忘記讀書，在戰亂中時讀時輟，時輟又時讀，抗戰勝利後，國共又行戰亂，遂投筆從戎，於民國卅五年投效洛陽青年軍第二〇六師，旋即參加中原剿共諸戰役，卅七年在南京考入炮兵學校，歷任炮兵副連長、連長、作戰官，曾參加登步大捷、金門炮戰，五十七年少校退伍，但於心不甘，同年參加大學聯考，進入國立臺灣師範大學國文系畢業，師大三民主義研究所結業，歷任專任教師、導師、輔導中心主任、教學組長、教務主任等職，其中擔任教務主任長達十年以上，可謂經驗豐富，鍊達圓融，由於裴校長平時工作認眞，熱心服務，本性忠厚，待人謙和，操守廉潔，剛正不阿，故前任校長申請退休後，即脫穎而出，被該校董事會聘任爲校長，榮膺重任。

裴尙苑校長接掌滬江校務以後，一本以往務實態度，求眞精神，在滬江已有的良好基礎上，力求革新，積極作爲，希望有所突破，故而提出其治校方針如次：

一、把握中華民國教育宗旨，實施正常教學，落實德、智、體、群、美五育均衡發展，爲國家培育健全國民。

二、著重生活及品德教育，以期提昇國民道德水準，進而改造社會，轉移風氣，裴校長有鑑於社會風氣日漸敗壞，探究其原因，不外由於國民道德低落，生活教育缺乏。故欲進中國於現代化國家之列，必先改造社會，欲改造中國社會，則必須從加強國民生活及品德教育著手，以杜社會之亂源。

三、培養愛國情操，灌輸正確觀念，使學生了解學習的目的在發展自我，服務人群，貢獻社會。而不是爲一己之私，貪圖享受。進而明辨是非，體認大我小我的依存關係，以培養愛國家，愛民族的精神。

四、因材施教，適切評量以適應學生個別差異，因學生素質參差不齊，爲使每個同學都能充分發揮其天賦才能，故必須因材施教，使資質高者能有較好的成就，資質低者，亦能了解「天生我才必有用」之理，不致自暴自棄。

五、實踐滬江校訓——信、義、勤、愛。滬江高中係由滬江大學校友所創辦，旨在紀念母校，承襲滬江精神，故仍以滬大校訓——信、義、勤、愛爲校訓，且這四個字均爲我國固有德目，人人均應遵守修爲，而身爲滬江青年，更應身體力行，切實做到，以求貫徹，尤其要推行愛的教育，使同學在愛的滋潤下學習、成長，進而自愛愛人。

滬江高中位於臺北市景美溪畔，環境幽美，交通方便，設備齊全，資師優秀，學風淳樸，目前在裴尚苑校長卓越領導下，相信該校校務必能蒸蒸日上。

綜觀裴尚苑先生，從小的時候，在長期的戰亂之中，勤奮不懈。在連年的大洪流之中，認清自我、掌握方向，終於奮鬥有成。一生之驚險與辛酸，實在令人敬佩不已。

85.7.15.

師道的光輝

——劉志良老師獻詞

劉志良

走過滬江的校園，穿梭時令的長廊，我們欣見滬江的蒸蒸日上，更感受到推動其成長背後，那份無私無我的大愛。我們都深知「教育」不僅是「樹人大業」，更是一種「精神事業」，唯有實際獻身去從事，才能真正領略教育的精髓。而裴尚苑校長，一位全體師生所崇仰的滬江「大家長」就在這條漫長的教育長河中，一點一滴地匯聚了他所有的心血。

回溯當年，裴尚苑校長卸下了二十多年的戎裝，懷著滿腔的教育熱忱和理念，毅然投身於教育工作，在滬江服務的廿三年中，校長從專任教師兼導師、專任教師兼輔導主任，到教學組長、教務主任，最後榮膺本校校長，這一步步走來，使得校長不僅兼具行政長才，更對本校校務運作有諸多苦心孤詣的擘畫。我們都知道輔導工作是本校十分重要的環節，殊不知輔導室的創設，亦是肇始於民國六十三年，由當時兼任輔導工作的裴校長一手精心策畫完成，至今成果斐然。

曾幾何時，愛的汗水換回額頭上的皺紋，然而校長依然精神矍鑠，一本——「教育家必是學問家」的理念，不斷汲取新知，更以年輕人積極、樂觀的態度，嘉惠學子，尤以每日朝會，從無間斷地親自為學生講解《三字經》、《孝經》，使學生在不知不覺中，潛移默化，變化氣質於無形，由此可見，校長對於傳統文化的著重，實在是用心良苦，其以中華文化的「守護人」自許，理應當之無愧。

每當見到校長走在各樓層的長廊，以和藹、親切的笑容、言語和師生融成一片，便感如沐春風般，令人有「望之儼然，即之也溫。」的儒雅風範，有時，甚至因不忍打擾上課的學生，而親自彎腰俯拾地上的紙屑，這雖是一個小小的動作，但在校長事必躬親，身教、言教並濟下，生活教育的落實，早已不再是句口號了。裴校長每日親自多次巡視校園、檢視校園內一草一木，無非是想藉以瞭解校況、學生學習環境及需要，是的，我們都是十分幸運的一群，為有如此的大家長而驕傲與感恩，正因此，使得本校的學生，素質逐年提昇，並在校內、外多項競賽中，傲視群倫、屢創佳績，校長可以如長者般引領大家，更可放下身段，像朋友般在迎新、送舊會上與大家盡情揮舞，在餐廳和同學一同進餐，校長對於滬江的愛，就如同其足印般，早已烙滿了校園的每一個角落，這種堅守崗位、孜孜矻矻的奉獻精神，是校長執教廿三年來始終執守未曾改變的初衷，怎不令全體師生，咸感敬佩！

時光荏苒，轉眼廿三年的執教生涯，將告一段落，誠如校長在《滬江青年》所言：「感受殊深，不勝依依。」然而教育既是「樹人大業」，自非一朝一夕能收立竿見影之效。環顧昔日老舊的校舍，已成今日設備一流的幢幢大樓，回首滬江，「大家在此播種，心血在此匯聚。」在歷任校長，秉持著「成功不必在我，努力自我開始。」的胸襟和抱負，我們樂見「薪火相傳」的火炬，在此燃起，自七月卅一日起，裴校長將功成擧退，由董事會特別禮聘徐立先生膺任本校校長，徐校長才識練達，以其諄諄學者的典型，泱泱大度的風範，早已望重士林，深獲孺慕，以其於教育界之貢獻及建樹，揆諸杏壇，幾無人能出其右。滬江在徐校長——「亮麗承先，飛揚啓後」的卓然領導下，必能收碩碩之效，爲滬江高中開啓新的扉頁，讓全體師生共同生活在滬江這「愛」與「文化」的搖籃裡，使滬江日益蓬勃發展，成爲衆所仰望之學府。

85.7.15.環亞大飯店

校長裴尚苑秉持宗教情懷
創造多元包容的學習空間

立報記者 徐明貞

溫和蘊藉的滬江高中校長裴尚苑，以中國固有的倫理道德與禮樂制度爲治校理念，恰與現今崇尚的升學主義背向而行，他的堅持與執著爲教育界注入一股清流。

裴尚苑，師大國文系畢業，文人出身的他，行事言論皆取法於古聖先賢，他說：「中國人固有的精神與文化深受日本及西方國家所推崇。」然而，身爲中國人卻不知道好好珍惜這些既有的文化資產，無怪，以前素有「禮儀之邦」盛名的中國，在改朝換代下，竟讓日本替代了「禮儀之邦」的雅號。

面對即將消逝殆盡的先聖心血，炎黃子孫怎麼不悲古傷今，這些寶貴資產一旦拋棄，不僅是文化資產的流失，亦可能爲社會帶來另一層的隱憂。

裴尚苑接著談到中國人最大的毛病首在於「髒與亂」，探索原因除家庭外，學校、社會亦脫不了關係，常見隨地丟垃圾的人，即使垃圾桶近在咫尺，亦難移樽就教將垃圾投入桶中，公德心的淪喪由小處便能窺知。

再者，國民不守秩序的情形亦是屢見不鮮，例如，公車一到站，蜂擁而上的民衆，立刻漠視原來排隊候車者的權益，此種二等國民的行徑爲社會帶來莫大的影響。

爲了摒除這些不良的習性，裴尙苑認爲，從教育的根本救起，首重便是五育中的德育，孔子亦云：「行有餘力，則以學文」，教育的目的主要在於變化學生的氣質，習慣團體的生活與人際關係的互動，良好的品德能使自己成爲一個循規蹈矩的學生，受歡迎的國民。

裴尙苑同時也談到人是群居的動物，不可能獨居，藉著彼此的信賴與合作，共同完成工作。人生以服務爲目的，聰明才智愈大者造千萬人之福，若無「創造被需求價值」者亦能獨善其身，不致成爲社會的負債。

裴尙苑表示，不論學生的成績、智商如何，「勤學」是身爲一個學生基本的態度，學生在求學過程應該心無旁騖，專心致志在課業上，不受外物干擾，這樣即使達不到課業的要求，亦算盡心盡力，對自己有所交代。

裴尙苑每年總會以過去學生的經驗期勉新生，他說道：「新生由國中階段升至高中，除對環境陌生之外，對於未來的升學、就業的準備亦是一知半解。」在此茫然未知情形下，特安排每班一段時間，爲學生提供適應環境的方式，以及未來的生涯規劃。

而對畢業學生，裴尙苑的贈言是：

第一，要把握人生方向，樹立正確的人生觀，凡是抱定「有所爲，有所不爲」的原則，不要唯利是圖。

第二，要不斷學習、充實自己，以免遭社會淘汰，告別高中生活，並非學業的終止，而是另一階層的開始，不論升學與否，都不能停止學習，應了解「知識就是力量」，培養「活到老，學到老」的精神。

第三，要注意人際關係，要善與人合作，樂與人合作，凡事不要固執己見，需知「無論今日，還是未來，成功是屬於能與他人合作的人」，唯有團結和諧，才能衆志成城。

第四，要發揚滬江精神，秉持著信、義、勤、愛的校訓，懷著「今日你以滬江爲榮，明日滬江以你爲傲」的精神，去開拓自己的人生。

裴尙苑說道滬江中學爲一教會學校，對學生的教育方式，亦是憑著宗教情懷去關懷照顧學生，宗教的包容，正如老師對學生的愛是至大而無私的，這是滬江自始即秉持的辦學精神。

談到學生的教學方式，裴尙苑強調，一切秉持教育宗旨，推行正常教學，因材施教能使學生依自己的興趣與理想，得到自由的發展空間，在學有專精的教育下，爲社會國家貢獻自己的才能。

裴尙苑談到滬江高中目前設有普通、電子、建築、室內設計、商業經營、資料處理、夜間部及補校，學校的特色包括：

第一，組織健全制度完善。

第二，師資優秀、教學認眞。

第三，科別齊全便於選擇。

第四，管教嚴格、輔導熱心。

第五，設備新穎、器材充實。

第六，獎勵升學、輔導就業。

第七，群英薈萃、校風淳樸。
第八，獎助學金項目特多。
第九，校園廣闊、環境幽雅。
第十，位置適中、交通便利。

裴校長喜形於色的說道：「同學們在學業、技藝上的表現愈來愈好，除了升學率的提升外，電腦軟體的技藝，在高商組方面曾獲八十一年第一名，這對學校與學生都是至高的榮譽。

裴校長亦談到了兼具培養學生能力及教學多元化，在學校的安排下，每天會有一個「午間唱」的閒情時間，以一個班級爲單位，策劃表演節目，同時，讓有才能的同學能有一展歌喉的機會。

另外，在晨間早修亦有「每日一句」的外語教學練習，校方爲了加強學生外語能力，特增設了語言中心，推動英語電腦輔助教學，並結合測試中心，了解學生學習成果。

善於養生之道的裴校長認爲，規律的生活是常保身體健康的主要訣竅，而打太極拳不但能涵養自己的心性，亦能促進血液循環。活動，活著就要動，唯有擁有開闊的心境、愉悅的心情，才能擁有一個身、心健康的人生。

裴校長說，看見學生有所成就，便是爲人師表最大的安慰。此種無求回饋的精神，正是師者，高風亮節的情操表現，對裴校長而言，這是實至名歸的讚許。

83.9.30立報22版

附錄二：

習作選集

入學記

余少居鄉里，受庭訓甚嚴。即知讀書爲樂。然生不逢時，戰亂時起，致未能依次完成學業，深以爲憾焉。高中期間，抗敵救國，青年多投筆從戎，余亦憤然就列，恍惚之間，已歷念餘年矣。昔年軍旅之際，年事漸長，益感學問之重要，故仍不時抽暇自修，遂能完成高中之學業。

民國五十六年春，獲准退役，得參加大專聯考，同時考取私立淡江文理學院外文系；國立師範大學夜間部國文系；輔導會國文專修科。既經愼擇，乃決定就讀國立臺灣師範大學夜間部。

九月二十九日，始辦理入學手續，其程序爲：體格檢查；新生訓練；口試及選課註冊，十月九日，正式上課，其中體檢若不及格，不准入學。

國立臺灣師範大學，其前身爲臺灣省立師範學院，成立於民國三十五年，四十四年春改爲師範大學，於本（五十六）年七月一日改爲國立。由於成立歷史較久，設備完善，加之辦理認眞，成績優良，成爲國內有名大學之一，故爲每年千萬升學同學，極力爭取之對象，其爲國內培養師資唯一之最高學府，故尤爲有志於教育工作者，竭力追求之目標。以余之不敏，能在千萬青年學子，激烈競爭之下，躋身其中，實屬慶幸。

體檢之際，十分認眞，逐項檢查，絲毫不苟。有人謂：「文學校無須如此。」又有說：「比進軍校還要嚴格。」可見其認眞之一斑，此決非其他學校所可比，想亦爲該校成功之所在。

此次新生訓練共二日，開訓典禮由校長孫亢曾主持，席間除說明本校以培養健全師資，提高學術研究爲宗旨外，並以校訓「誠正勤樸」四點訓勉同學，即要求大家要過健全身心之生活；進德生活；修養生活及課餘之修閒生活。順次由各單位主管，分別介紹有關事項，使同學對學校有一概略認識，有助於爾後之學習。

本年參加夜間部聯考萬餘人，師大錄取僅三百餘，其中大部爲女生，男生不及三分之一，此固爲兵役制度之所致，然女子教育之普及，實爲主因。女生多爲近年歷屆畢業生，年紀甚輕，男生則多爲服過兵役者，年歲較長，其中竟有五十三歲者，不禁使四十有二之我，亦得相形遜色，亦更鼓勵余向學之勇氣。

當余從軍之際，以爲今生再無接受高等教育之機緣。時以爲憾，今能重溫學校生活，以賞宿願，除自感慶幸外，理當加倍努力，充分利用學校設備，在優美環境之中，良師指導之下，盡心研究，充實自己，期能成爲一健全教師，俟結業後，以余有生之年，從事傳薪之工作，繼續爲國服務，爲國家培植有用人材，以達良師興國之目的。

進入大學，乃余一生中之大事，因以爲記。時中華民國五十六年十月九日。

想

在我的腦海中，經常會想到幾件事情和人物。

首先最容易使我懷念的，就是淪陷在大陸上的家庭和父母。民國三十五年十月，當我離開家時，父母均已年近五十，父親在家裡開一爿雜貨鋪，母親在管理家務，大哥已婚，並有子女三人，另外經營一家綢緞莊，二哥亦已結婚，也有兩個小孩，當時弟弟與我都在讀書，另外有個妹妹尙未入學。家中有六十幾畝田地，由二哥經管，主要工作，由長工負責耕種，農忙時，則全體動員，每年收成可說綽有裕餘，加之生意興隆，因之家道蒸蒸日上。記得離家前曾買了不少田地及一所房屋。雖然我家不算富有，但現在想起來，已感覺十分甜蜜、美滿。

母親信佛，當我要離家時，她曾爲我求神占卜，看是否宜於外出，臨走前她曾對我說：「尙苑，算命先生說你不宜外出！」當時我去志甚堅，一心要自創天下，所以沒有聽母親勸阻，不然，現在亦免不了遭受共匪奴役，至於能否侍奉父母，恐怕亦成問題。

父親當時對我離家外出，並不像母親那樣反對，臨行前他曾把我叫到身邊說：「現在本地情勢動蕩不安，你出去也好，不過，要好好做人，千萬別染上不良嗜好。」這幾句話，無時不在我的腦海中浮現，直到目前我仍煙酒不進，一無不良嗜好，有暇即以讀書為樂，便是對父親的訓誡不敢忘懷。

其次，使我經常想到的是一個女人，是撞入我生命中的第一個女人，當我們相識時，她才十八歲，正是臺北女師一年級學生，由於志趣相近，互相印象不壞，前後交往有八年之久，此期間我看她讀書；看她畢業；看她由學生變為教員，她曾給我安慰，給我鼓勵，使我學習，使我上進，我們曾論及婚嫁，以後雖因某種原因未能結合，但我內心還是十分的感謝她，所以經常還會想到她。據說在我結婚後的第二年，她也與人結婚，現已離臺去國了。

在我閒暇時，不但會回想過去，有時亦會想到將來，人說回憶是甜蜜的，所以我願努力創造現在，好讓他日有更多綺麗的資料可供回憶。

應徵記

一

退役後，爲日後的工作問題，曾經過一番奮鬥，在別的國家，軍人解甲還鄉，可享天年，但在我國，際此災難憂患，却是工作開始的時候，以一個年近半百，身無一技之長的退伍軍人，要想在目前臺灣人浮於事的社會裡，找一份理想的工作，談何容易！但爲了要生活，爲了要實現美夢—接受大學教育，又不得不找工作。我曾想開計程車，鑒於目前計程車生意不錯，而且我亦持有軍車駕駛執照，可是想到自己視力欠佳，恐難通過轉換民間執照之難關，也就知難而退了。我也曾想學廣告畫，因自己以前曾對美術畫畫發生過興趣，同時曾投師學習過一段素描。有一天曾去一家廣告社，毛遂自薦，想在那兒作學徒，經老闆將我上下打量一番，看我穿著一身舊軍服及一雙軍用膠鞋，未經筆試，就一口回絕了，說他那兒不需要人員，我只好失望離去。我還想到要做個小生意，但在既無適當地點，又不容易籌措一筆資金，只好作罷。想來想去，找份適當的工作眞難！

爲了要工作，我曾去過臺灣省北區國民輔導就業中心，在其壯麗的辦公大廈外面，有一座公佈欄，事求人的消息均貼在上面，首先看到一則爲：「某機關招打字員，限女性，月薪八百元，需高中畢業。」性別不合。又一則：「某機關招工程師，限大專以上，理工科系畢業……。」學歷不符。再一則爲某工廠招學徒，限十八歲以下。年齡超過。看到這兒，已心灰意冷了，想該中心對我來說等於虛設，可是我不到黃河心不死，終於還是跑進去想試試運氣，一進門是一個長形如櫃台般的高桌，裡面坐著一排負責登記的小姐，其中分了各種性質的窗口，每個前面都圍了不少人，我在「勞務工作」的窗口；說明來意，小姐要我塡一張表，她又給我一張登記卡，要我回家等候通知，我心想：可能會有希望，便在家裡等候佳音，可是已過數月，到今天還沒有消息。

二　應徵記（續一）

爲了找工作，我特地訂了一份聯合報，因其廣告版比其他報紙爲多，認爲如能找到工作，訂一份報紙也是值得的。當第一天報紙送來時，我首先拿起副刊，再翻到「人事」欄，將其從頭至尾仔細閱讀一遍，看依自己的條件是否有適合的工作，結果發現不是年齡超過，就是學歷不夠，再不然就是受了性別或籍貫的限制，不過其中有一則是這樣的：「某公司招抄寫員，上下班待優臺北市××路×號」自認尚可勝任，且無以上種種限制，於是決定前往應徵，基於上次的經驗，特別將自己修飾一番，我挑了一件乾淨的香港衫，穿上我唯一的新褲子，將鬍子刮乾淨；皮鞋擦亮亮，拿上報紙，帶著鋼筆，以「如臨考場；如迎大賓」的心情，前往應徵。

當我依址找到時，原來是偏僻小巷中的一家職業介紹所，一間小木屋，設備很簡陋，靠一角放一張不太乾淨的木桌，後面坐著一位年約五十餘歲的老頭，戴著一幅老花眼鏡，想他是這裡的主持人，桌前面放著一條長凳子，上面坐著幾個年青人，想是前來應徵的，當我進去他們停止了談話看著我，老闆並問：「有何貴幹？」我手示報紙說明來意，他要我坐下，塡一張表，並要我先交八十元介紹費，然後帶我去某公司看看，我想這中間可能有問題，當我正在躊躇時，忽然進來一位年青女子，憤怒地向老闆指責著說：「你這個騙子，說要我在家等候通知，這麼久，一點也沒有消息，是什麼意思？將介紹費還給我！」老闆苦笑著說：「請別生氣，還給你，可以，不過要扣二十元登記費及二十元車費。」拿了四十元給她，那位女子無奈含著眼淚自認倒楣的走了，我看了這種情形隨即離去，免得受騙。

次日，報紙送來，我依然先看廣告欄，發現大部均與昨日相同，凡不合格者，很快掠過，但條件較寬者却要仔細審度一番，以免再去上當。最後看到一條：「徵自用三輛車夫送上下班千五供膳宿臺北市財政科黃」我想這該不會是騙局吧！同時自己安慰自己地說：「職業無貴賤，三輪車夫有什麼關係？何況錄取與否，還成問題，不妨去試試看吧！」上午上班時間，我依然穿著整齊向臺北市府走去，到財政科詢問：「誰是黃先生？」一位先生向裡面小房間指指，我遂進去，出乎意料的是一位年約四十左右的中年女仕，穿著十分考究，正坐在桌前批閱公文，且案頭放置高高一疊卷宗，我想可能是該處主管，沒有等她開口，我先說是來應徵的，她問：「你會不會煮飯？」並解釋說：「我們家中人口簡單，坐車機會少，在家機會多，主要能作家事才行。」我自認不克勝任，遂即辭去。

經過兩次碰壁，使我對找工作已失去了信心，第三天，連報紙也懶得看了。

三　我所看到的女議員（應徵記續二）

在未找到適當工作前，我總會注意著每天報紙上的人事欄。今天看到一條徵求文書及收費員的消息，隨即依址找去，結果來到一家日式房屋住宅前面，大門原來開著，我便進去。一進門看到院子裡放著五六輛半舊的自行車，我想：這可能就是收費員的交通工具吧！室內三五男女，有的站在桌前；有的蹲在地板上，正忙著分理報紙。「哦！原來是一家報社。」我心裡領悟著。我向靠門口的一位先生示意前來應徵，他問：「有沒有帶自傳？」我答：「沒有。」他說：「明日上午八時前帶自傳來。」接著又說：「你現在有沒有事？幫著我們分分報紙好嗎？」我雖然有事，但為了明天能夠順利錄取，只好勉強答應。他將我帶到他們的飯廳，已有一個人正在分著，於是我就作了他的臨時助手。

這時我才看清它是中×婦女週刊，發行人兼社長為女議員呂×璧。該週刊每週三出版，我正好趕上。由那位先生的口裡，得知這裡的工作情形，及業務況狀。據說該報已發行四萬餘份，訂戶除遍及全省各地外，且遠達美、非諸洲，社內工作人員，上午七時半即須到達，直到下午七時才能離開，顯然與我晚上上課時間衝突，且看到他們一個個忙碌的情形，已使我望而却步。並非怕受辛苦，實在感覺得不償失。

次日清晨，我仍然拿著自傳懷著僥倖的心理前往，希望那位女議員社長，能給以通融，特准我下午提前離開，以便來得及上課。在我的想像中，那位女議員一定是一位穿著入時，雍容華貴，和藹可親，富有君子之風，寬大爲懷，肯替他人著想的一位仁者之人，這一點要求當會照准。

上午七時半已到該處，門已開著，室內僅一位雜役在整理房間，得知我的來意後，要我進去等候。當時外面正下著毛毛細雨，且天甚冷，於是進去看著報紙等候，這時才有機會看到室內全貌，房屋破舊不堪，人一走動，地板便軋軋作響，設備亦甚簡陋，除大部份爲放著舊報紙或一些參考書的架子外，其餘便是幾張舊書桌。一會兒，一位小姐進來，立即坐在一張桌前整理著訂戶卡片，接著又來了幾位小姐及先生，坐滿了每個座位，各自展開工作，昨天看到的那位先生也來了，互打招呼後，我將自傳交給他，他小心翼翼地放在內間一張桌子上，我想那該是社長的辦公桌。

看看手錶，八時已過，還沒有看到那位議員社長，我內心有些焦急，想她身兼數職，工作甚忙吧！或是已經他往，於是想請旁邊一位小姐爲我通報一下，可是她說：「她現在還在睡覺，我不敢去打擾她，還是請你再等一下吧！」我想既已等了許久，若這樣離去，不是前功盡棄了嗎？於是索性再等一下吧！

時針已指向九點，當我正在看著報紙，忽聽有人問：「有沒有什麼事呀？」隨著聲音望去，只見一位消瘦的女人站在那邊，年約四十餘歲，頭髮有些蓬鬆，面部毫無修飾，顴骨高凸，眼睛顯得下陷，穿著一件舊的祺袍似的衣服，毫無款式可言，外面套著一件已退色的背心，在這樣寒氣逼人的早晨，她顯然有些冷意，只見她兩手交叉，想把手放進已破了兩個洞的毛線衣裡去，足下登著兩隻木屐，兩眼瞪著最先來的那位小姐，她站起來向她說：「剛才有人打電話問晚會事，我因不清楚，叫他下午再打來。」接著那位女人咆哮道：「妳是死人呀！妳簡直就是死人，不會看報紙呀！爲什麼不叫我接電話？」那位小姐低下了頭，一言不發，此時室內寂靜，鴉雀無聲，每個人都在埋頭工作，沒有人敢看她，我却在旁邊靜靜地觀察著她的表情變化，同時心裡想著，這就是那位女議員嗎？那麼她就是他們的社長？爲什麼對人這樣態度呢？不禁使我想起武則天，誰說女人是弱者，稍待，那位先生低聲說：「我帶你去見社長吧！」我說：「不必了。」心想一葉知秋，君子不食嗟來食，遂辭而去。當那位先生送我到門口時，我說：「你們這些員工們太可憐了。」他苦笑了一會。

憶故鄉

「薑是老的辣，月是故鄉明。」充分表現出一般人對故鄉的偏愛，當然，一個人對於生於斯，長於斯的地方，日長天久漸漸對於該處的萬事萬物都會發生情感，縱然有些當時引以爲苦的地方，但當你離開以後回憶起來，却也蠻有趣的。

我的故鄉是在山西省最南端的一個小鎮上，就是平陸縣常樂鎮。就一般來講，該處是地當中原，也是中華民族文化發源地，夏禹當時就建都在緊靠北邊的安邑縣，相距不過數十里。北依中條山，南面臨黃河，東西不遠，均有被水沖擊而成的大溝豁，猶如美國的大峽谷，但却不像那樣荒涼，而是到處散佈著農田與村莊，中間形成一個廣濶數十里的黃土小高原，所以交通很不發達。

小時除在課本上外，從來沒看到過汽車和火車，飛機更不知甚麼形狀，與外界交通，全靠騾馬。當地居民很少與外界接觸，每天只不過由家中到農田，由農田到家中而已。我若不是自小從軍，恐怕也要在那個小天地裡過一輩子。

自小經常隨家父至黃河邊撈取河炭，所以黃河對我的印象十分深刻，每當夏天驟雨之後，黃河兩岸的煤炭，被水沖擊隨流而下，遇平坦處，便積在兩岸河灘上，沿岸居民於雨過天青後，便紛紛携帶鐵鍬、籮筐、布袋等工具，趕著毛驢或騾馬，趨向河灘，撈取煤炭，用以煮飯。當你站在河邊高崖上，往下一望，只見一群群赤著背，彎著腰正在挖取河炭的人們，散佈在整個河灘上，旁邊一邊急流滾滾的河水馳過，陪襯著黃河南岸的一片沃野，偶而隴海路上馳過一列火車，白煙嫋嫋，汽笛長鳴，穿越潼關的隧道，再遠是一列峰巒疊起的山峰，隱現在輕煙迷霧中，眞乃一幅絕妙的「夏日撈炭圖」。同時也使我想起家鄉以外的地方。

北面的中條山，是一座土山，沒有纍纍大石，亦無密茂的森林，只是長滿了山草，靠山麓居民養著一群群的山羊和綿羊，經常徜徉其間，在冬天會看到有些割草的人們，那是辛勞地爲家畜採集冬食。

山的北麓，有著名的安邑鹽池，池長七十餘里，寬七里，周圍一百餘里，其中鹽畦縱橫，鹽堆連連，高如大樓，蔚成奇觀，該處地出苦水，引入畦中，經日曬後即成顆粒甚大的池鹽，行銷冀、魯、陝、豫各省。池北有建築宏偉的池神廟，廟中有一琴台，據說爲夏禹彈琴之所。不遠便是晉南重鎭運城，每逢假日，城中人士常至此地冶遊。我中學時即在運城讀書，故得有機會一遊該地。

西面與解縣相隣，那是嚇嚇有名的關聖人的家鄉，那裡有最大的關帝廟，每年關公生日的那一天，幾台地方戲同時演唱，附近男男女女均去趕集，商賈雲集，盛況空前。

故鄉爲典型的中國北方農村，民情純樸，日入而息日出而作。久居市井以後，不禁更令人嚮往，至於目前情形如何？實在不敢多想。

浮生散記——春節記俗

春節，俗稱過年，爲國人最重視之節日，我國地域遼濶，各地風俗有異。北方過年，通常自臘月二十三起便開始忙碌，如磨麵粉、做豆腐、炸油、殺豬、趕集、拾年貨、辦年菜等，直忙到除夕吃完年夜飯，才算告一段落，這可說是準備階段。正月初一起，又開始忙著四處拜年、看熱鬧、玩龍、耍錢等，直到元宵節過後才算結束，這又是一個盡情享受的階段。總之，這是一個多采多姿令人陶醉的節日。

送灶

在北方每家廚房鍋臺前，都供有灶神、祂等於天神派駐在人間的督察使，專司人間善惡，每年臘月二十三日，便須上天述職，向天爺報告這一家人的所作所爲，以作賜福降災的依據，故每年此日，家家戶戶都陳設糖菓，焚香祭灶，藉餞行之名，以行賄賂之實，目的在希望祂能「上天言好事，回宮降吉祥」。祭品中除一般佳餚外，最主要的便是一個大芝麻糖菓，該糖既甜又黏，目的在想把灶爺嘴給黏住，希望祂在天庭少講話，縱然要講，也要講好話。另外還給祂準備用紙剪成的兩匹駿馬及幾件寒衣，以免途中受凍累之苦。若家中有人因故不克回家過年者，便在鍋蓋上放一個碗，表示缺席或請假。祭祀畢，便將去年帖上去的灶神像及對聯扯下，連同冥錢、寒衣、紙馬等一齊焚燒，同時燃放鞭炮以表歡送，這樣灶神便上天了。

趕集

在我國北方農村社會裏，由於城市遙遠，交通不便，且日常用品大多都可自供，故平日很少有買賣行爲，主要交易都在每年幾次定期集會中舉行，這就是著名的「趕集」。

我的故鄉，是附近比較大的一個鄉鎮，每年自臘月二十三日起，便隔日一會，一清早起商人們便在一個廣場上及附近的道路傍，設好攤位，準備應市，有雜貨、有布匹、有糧食、有菜蔬可說應有盡有，不勝枚舉。最普遍而可口的小吃攤販，當要算羊肉燴餅及炒涼粉，當你相距甚遠，已聞香味。附近民家都携著自家剩餘的農產品到集上賣掉，然後買些過年需用的東西回來，其中必不可少的一項便是祭祀用的鞭炮、香紙、門神、紅紙等，俗稱「拾年貨」。所以每到此時人群麕集，攤販林立，頓時形成一個熱鬧非常的臨時市場，有時還有走江湖的玩把戲、耍猴戲、說書，或賣唱的，均可吸引大批觀衆，給會集增色不少。

除夕

除夕可說是過年期間最忙的一天，記得童年在家時，因父兄均去趕集，母親及嫂嫂都在忙著包餃子，所以打掃庭院，貼對聯的工作便落在我的身上，在大陸時住宅寬敞，掃地固然辛苦，「貼對」也不簡單，除每個門框上要貼對聯外，大門上要貼門神，其他門戶上要字方，臥室有「身臥福地」，麵缸上有「取之不盡」，水缺上有「川流不息」，雞窩、牛欄等可說隨處都貼著適當的吉語紅條，顯出強烈的過年氣氛。另外故鄉大概由於地處黃土高原，鄉民居處窰洞之故，所以每家一進門都供有土地爺，當入夜後對聯貼好，陳設祭品，蠋火輝煌，更使人有一種肅穆感覺。因爲鄉民均爲農家，所以除夕這天大家都要在庭院中以白灰畫兩個大圓圈，一個內放一把麥子，另一個內放一把黍，表示明年會「五穀豐登，糧食滿倉」。

年夜飯是除夕一個主要節目，除菜餚是最豐盛外，它更使中國家庭倫理、天倫樂趣表現無遺。記得家鄉年夜飯中最特殊的當是餃子、麻花、及羊肉絲涼拌綠豆芽，至今仍使我念念不忘，每一想起不免要垂涎三尺。來臺後雖曾試作數次，但總不及母親所作的美味可口，希望能再有機會享受到。除夕的餃子中，有些是包的錢，吃時由小孩自己去盛，看誰盛得最多，即表示明年誰的福氣最大。

穿新衣及分壓歲錢該是孩子們最感興奮的事，記得小時在家，每逢過年母親都會爲我們從頭至腳各準備嶄新一套，吃完年夜飯，才拿出來穿上，然後弟兄幾個跑到祖宗供桌前爲祖宗及父母兄長拜年，接著父親即分散壓歲錢，於是引起一片雀躍與歡笑。

今年事稍長，每屆春節，回憶家鄉行樂事，往往不禁黯然傷神。

踏青

在北方的故鄉，每到春來，睡了一冬的麥苗全已清醒，棉絮般的雪被也已融化，被滋潤了的麥苗，顯得格外清嫩可愛，放眼望去全是綠油油一片，偶而夾雜著幾畦金黃色的菜花，織成一幅絕妙的北國春景。

每年的清明節，就在這樣春光照人，鳥語清脆的時候降臨人間，鄉人均携帶祭品、香表、鐵鍁等，成群結隊到野外祖墳上去掃墓，祭祖，俗謂「踏青」。

在北方清明掃墓，乃男人事務，從無女人參與，每到此時，同族人老老少少，相約而出，依祖墳距離的遠近，依次掃去。在北方的墳墓，均佔地甚廣，常是古柏葱籠，碑石林立，有的尚樹有石人、石馬等物，看來有莊嚴、雄偉之感。每到墓上先清掃、除草，然後以土修補缺孔，接著焚香祭祀，大家跪拜，燃燒紙錢、鞭炮，最後在墳頂上壓上細長的白紙條，表示此墓業已掃過。

在大陸上均爲土葬，墳墓保持久遠，故每年往往要連掃幾天，這幾天內田野裏，人群來往，談笑嬉戲，十分熱鬧，地上小狗追逐，天空鴻雁長鳴，又是一幅別開生面的清明上墳圖。

離鄉已久，祖先廬墓何似？令人難以想像，唯望早日重返故鄉，趕得及明年清明時節爲祖宗掃墓。

禮拜堂

星期天的上午，週會後，清風柔和，陽光普照。同學邀我去教堂，我非教徒，無此習慣，但爲了好奇，還是跟他去了。

當我們到達一座白色尖頂的教堂前時，已是車水馬龍，人群熙攘。一進門便看到聖堂中央高懸一具十字架，後面發出柔和的白光，好像天國就在那裏，我想只有能背起十字架的人，才能進入天堂。一座不算小的禮堂，除兩邊座位外連中間走道上也擠滿了人，想不到參加的人會如此踴躍，我不明瞭他們爲什麼要進教堂，是心靈空虛嗎？還是冀求赦罪！看座上大部都是些衣著整潔，生活富裕的人，難道他們都有罪嗎？若眞有罪，是否又眞能被赦免呢？縱然被神赦免，自己良心亦不安呀！難怪耶穌對他的弟子說：「有錢的人進天國是何等難啊！像你們是很容易的。」

一會兒，主講者來了，站在講台前輕輕講了一聲：「請大家靜默。」只見一個個低下了頭，閉著眼，寂然無聲，頓時使我有衆人皆睡我獨醒之感。同時使我想到他這一聲，比週會時軍訓教官的口令可靈多了，每次週會時，教官雖大聲疾呼：「不要講話，不要講話！」但仍阻止不住同學們熱烈的交談。爲什麼我們的週會，不會出現那麼一種莊嚴肅穆的氣氛；爲什麼這些受高等教育的大學生，反不如毫無組織，臨時聚集的群衆呢？難道這是青春的活力嗎？還是知識水準較高的一種特有表現，記得臺大曾推行一種「自覺運動」，感到師大亦有響應的必要。

當獻詩班唱起聖詩時，音樂伴奏，歌聲悠揚，不禁使人有一種和平安詳的感覺。同時爲中國古樂的失傳，深表惋惜。

看到主講者滔滔不絕，反復闡述的那種講道精神，又使我感到當此提倡復興中華文化運動之際，實在需要具有這種精神的人，來對中華文化大加闡揚才行。

今天所講的主題是：耶穌復活的事，雖經他再三引證與分析，但我所獲得的，是一些日常生活衆所見聞的一些不快的聯想。

門前即景

門前原是條以運煤爲主的小鐵道，同時亦兼運旅客，每天往返車次不下數十次之多，每遇車過時，其聲隆隆作響，震耳欲聾，濃煙彌漫，令人窒息。路旁違章建築林立，雜草叢生，夏夜蚊蟲群舞，擾人清夢。路邊那條大水溝亦成藏污納垢之所，經常充滿垃圾紙屑，不時發出刺鼻酸味。其髒亂之情，無以復加，令人難過。

最近，將鐵道拆除，改建公路，路基拓寬，違章建築拆除，兩旁住戶各自建起紅磚圍牆，水溝旁以丸石砌起，水流其中清澈見底，以前的髒亂之象盡去，呈現在眼前的是一條平直廣闊的柏油路，使人步行其上，不禁有輕鬆舒暢的感覺。

自路修好後，行人逐漸增多，也就逐漸熱鬧起來。

一大清早，經常有位先生穿著睡衣，拖著拖鞋，牽著狼狗在路上散步，享受著晨光、美景，接著便有一群群的學生，背著書包，戴著黃帽由門前通過；以後便是赴市場買菜的家庭主婦，她們個個手提菜籃，有如一批多采多姿的娘子軍，由閱兵台前通過。

每到傍晚，各家小孩齊集門前，有的騎小三輪車；有的在玩皮球；還有些穿著輪鞋在學溜冰；也有一兩對青年男女在打羽毛球，追逐嬉戲，歡笑之聲四溢，頓時這段路又成了一個臨時運動場，我又在欣賞各項精彩的節目表演。

附近有一家電影院，每逢週末或假日，生意特好，若逢佳片，更是大擺長龍，在未入場前常有對對情侶，相擁於路上漫步，使這段幽暗的路，增加了不少情調。

最令人注目的，該算一對白髮老人，他倆看上去大約年近古稀，兩鬢斑白，白髮蒼蒼，每當黃昏一男一女相牽漫步，其相愛之情，好像隨時俱增，眞所謂「白頭偕老」，引起不少男女的羨慕與讚嘆。

每天由於工作關係，臨窗欣賞街景，有如欣賞一部寫實電影，一個鏡頭接著一個鏡頭，又如觀賞一部話劇，一幕接著一幕，其中有喜劇，也有悲劇，有善有惡，有光明亦有黑暗，它等於是社會的縮影，歷史的片斷。想到人生在宇宙之間，亦不過如此曇花一現，在造物者的眼前，好比雲煙逝過，能不把握現實，充實自己，使人生過得更有意義嗎？

婚俗瑣談

在抗日戰爭以前，北方農村裡的婚姻，仍以古時方式進行，即所謂父母之命，媒妁之言，其進行程序大致仍循納采、問名、納吉、納徵、請期、親迎之古禮。概略區分爲三個階段：即訂婚，包含納采、問名、納吉三項。行禮，包含納徵、請期兩項。迎親，也就是親迎。

在男家選定門當戶對，各方合適的女家後，便托媒前往說合，此即所謂納采，若女方同意，便携回女之姓名、生辰八字，這便是問名，若男女八字相合，占卜又得吉兆，於是媒人又往女家相告，這樣才能正式訂婚，這也就是古禮中的納吉。以前不知有多少恩愛夫妻被八字所拆散，又不知有多少怨家被八字強拉在一起。訂婚時需納聘禮，記得大哥當時是納了十六塊銀元、幾件衣料，及一些首飾而訂婚的。

訂婚後至結婚普通大約均有一年時間，這可說是男女雙方結婚的準備階段，在女方要利用此期間，製作衣服、嫁妝，包括桌椅板凳，衣箱、衣櫃等，妝奩之多少，視女家貧富以作決定，依習慣新房中的一切陳設均由女方準備，男方亦作必要之準備，如養豬，準備行禮時之禮物，準備新房等。

結婚多於歲末年初農閒時舉行，結婚前一兩個月先「行禮」，即古之納徵，普通由男方向女家納送麥子數百斤，棉花數十斤及衣料錢幣等，數目多少亦因家境而定，人都說臺灣訂婚聘禮太重，回想家鄉的聘禮亦不算輕，行禮後便翻閱黃曆決定結婚吉日，並告知女家，這是所謂請期。

結婚的前幾天，男家顯得十分忙碌，各方親戚都來幫忙，連蒸幾天饅頭，採蔬菜、作豆腐，請廚師、搭棚幕、殺豬、宰羊，布置新房等等，等這些都準備妥當，已是婚期的前一天了，男方要派幾十個壯士去女家抬嫁妝，普通都會有大型木製衣箱二至四隻、衣櫃一隻、書桌、椅子、衣架、洗面盆架……。內盛由新娘親手製作的衣物棉被等，習慣在箱底均放有胡桃及棗等食物，每當這些一抬放至新房內，便被小孩搶食一空。這些木器，均為桐油所漆，顏色鮮艷，更給婚期增添了不少喜氣。

這天傍晚，一切都準備就緒，新郎便穿上結婚禮服—長袍馬褂，披彩紅，戴金花。在燭光輝映的祖宗供桌前，在長輩指導之下，練習跪拜之禮，並逐一向長輩及親戚叩頭，一面謝其數日來的幫忙，一面練習儀禮，有時竟至半夜方止。

這天夜裡，新郎便睡在布置好的新房內，蓋著新娘為他作好的棉被，嗅著由新娘家帶來的油漆味，更憧憬著他從未謀面的終身伴侶，他心情興奮，期待天明。

次日，將是他終生難忘的日子，他在母親仔細的打扮下，親切的囑咐下，滿身披掛，跨上駿馬，帶著伴娘及花轎，由樂隊引導，吹吹打打迎親去了，他們成群結隊，浩浩蕩蕩，穿過田野，越過山崗，來到他從未到過的地方，他心想這兒會有什麼好姑娘，但他忽然又想到人常說「山中出鳳凰」，他一心想娶個巧模樣。

新郎在岳丈家還有一段難應付的場面，那便是首先要拜女方祖宗，稍一不小心，當上香時便會被香爐內暗伏的棗刺刺中手指，接著是一連串的叩頭，某大娘、某二嬸、某三姑，當你聽到鬨堂大笑時，那你準是已被誘給你的新娘叩了一個頭。接著便是吃飯，當你面前送上一碗餃子時，千萬別冒失的去吃，否則你定會吃一大口辣椒或食鹽，那是那些好玩的小姑娘，爲你作的特製品。

當這些節目完畢後，已是下午一兩點了，你才能帶著新娘回家，此時迎親的行列又增長了一半，前後成十四馬，中間一頂花轎，四週圍著壓轎的—新娘的兄弟，當行至村鎭時，樂隊演奏，鞭炮齊鳴，人群擁擠，十分熱鬧，每年此際，結婚者很多，經常會看到兩家迎親者當街相對，兩家樂隊相競吹奏，好事者於中間放板凳一條，上置香煙數包，以作鼓勵，此時樂隊各獻特技，絕不示弱，有的以小喇叭學人講話，有的可同時吹三支喇叭，有的以花鼓見長，有的可吹戲劇，每當表演精彩時，觀衆恒報以熱烈掌聲，如此常相持數小時而不分勝負。

當抵家時，人們早已在門口等待著，新娘下轎後，頭蓋紅紗巾，足踏紅氈布，由兩位伴娘攙扶著，由其兄弟姊妹簇擁著，在紙花飛舞中，桃棗揮打下，輕移蓮步走向供桌前。拜天地是舊式婚姻中，最重要的一幕，從自這從不相識的一對便正式結爲夫婦，註定他們的一生。拜天地後便是進入洞房，當新郎新娘相對站在炕前，新郎以一雙紅筷將新娘蓋頭挑起，一時四目相對，這時他們才見第一面，但是美是醜早已注定了。當然有些是幸運的，也有不少是不幸者，爲這舊式婚姻在忍受，在煎熬。

舊式婚姻雖有缺點，但也有優點，更有其嚴肅與隆重的一面，當此自由戀愛已極盛行，普遍實行文明結婚的情形之下，憶及故鄉結婚習俗，倍覺有趣。

早婚

早婚，在中國北方，是一種很盛行的習俗，普通在十幾歲就已結婚。陳全福恐怕要算是我們家鄉附近結婚最早的一個，主要由於他曾祖母已年近八十，希望能求得一個「五代同堂」，所以就在他八歲那年，給他娶了個十八歲的媳婦，完成了他的終身大事。

東鄰王金斗也在十二歲就結了婚，他是因爲家中農事忙，母親身體差，急需人幫忙，所以他的家境雖不如陳全福那樣富有，還是設法早日給他完成婚事。

以上兩家是我所知比較特殊的，可說是早婚中的較早者，至於其他十六、七歲結婚的可說比比皆是，極爲普遍，這些都是在父母們想早日完成其本身責任的心理下，早日結婚的。

推究早婚的原因，主要由於農村社會，大家庭產生的結果，婚後生活無需自己負擔：父母認爲子女的婚姻，是家庭的責任，一切由父母作主，結果形成了，子女早婚視爲家庭富有的象徵的錯誤觀念。此外戰亂亦是促成早婚風俗的原因之一，女子年長成人，終日兵荒馬亂，父母爲了安全起見，所以早些讓她出嫁，免得躭心。由於以上種種原因，結果就形成了早婚的陋俗，它不但葬送了子女的終身幸福，亦危害了國家民族，婚姻乃人生大事，幸福的源泉，民族強弱的基礎，若沒有美滿的婚姻，便沒有幸福的家庭及安定的社會，美滿的婚姻，乃基於雙方的了解和情感的結合，在早婚的情形下，可說一點也談不上，所幸社會禮教觀念深刻，這些不幸者，只把這種悲痛訴諸命運而已，當時曾流行一首民歌是這樣的：

相公十一奴十八，媽媽要我嫁給他，
拉屎拉尿需照顧；穿鞋穿襪都要咱，
白天不跟奴說話；夜裏睡覺要媽媽，
天錯地錯都難怪，只怪生爲女人家。

充分表露出早婚女兒的心聲。

歲月奔馳，一切都隨著改變，早婚陋俗已不復見，此實現代青年之幸，國家民族之幸。

新詩：

1. 追憶

花下、池邊曾有妳的芳踪，
　曾給我鼓勵和希望。
今天，我又來到這個地方，
　花木依舊，池水澄靜，
但妳的芳踪，却在何方？

有人告訴我，妳已去國！
　尋找自己的理想，
我卻眷戀，心頭漾著，
　這美好的初夏，跟往日一樣。

2. 傾慕

暉星昭晚景，
花開暗含情。
桐子猶不知，
秋來葉飄零。

3. 心願

我願變作小燕，飛到海的那邊。
在山腳，河畔，找到我故鄉的家園，
看看闊別的家人，可還安然。

※ ※ ※

我願變作海鷗，飛到洋的那頭。
在凱旋門外，萊茵河畔，
找到久別的故人。
看看那顆翡翠，可還在她身邊。

詩

1. 秋懷(一)

秋聲樹間起，聲聲發悲琴。
明月清似水，寒露潤我衿。
游子寄他鄉，鳥飛棲無林。
風雨常飄搖，鬱鬱憂我心。

巍巍太武山，熠熠莒光樓。
滾滾洋江水，脈脈環島流，
促織鳴悲秋，惆悵幾多愁。
人生誰無死，同袍英名留。

2. 擬子夜春歌

春日花爭媚，

君意多纏綿，
織婦懷春心，
長夜不得眠。

3.登樓

陽明中山樓，
群英策奇謀。
中原勞北望，
何日復神州。

4.夜靜

萬籟俱已息，
嗒嗒時鐘鳴。
一卷多芳思，
滋蘭九畹生。

詞：

1. 南歌子（挑燈夜讀）

萬籟聲初寂　簷前月似眉　剪燭讀新詞　朗吟驚四壁　夜深時

2. 虞美人（感時）

漫漫長夜何時曉　惡夢知多少　窗前昨夜又寒風　舊夢不堪回首故鄉中　朱門樓閣今何在　景物已全改　問君今日有何求　王卿趁此花開解民憂

3. 憶江南

春來也　百花競相呈　羈旅離人歸去未　美人和淚亭前迎　勿忘舊時情

4. 長相思（念故鄉）

煙茫茫　霧茫茫　萬紫千紅雲裏藏　故鄉在何方　朝也望　暮也望　往事重重夜更長　異鄉人斷腸

5. 浣溪沙（感時）

少小青春不識愁　芳郊日日事清遊　時隨流水已窮秋　回顧當年輕似夢　徒添心事萬般愁　等閒白了好頭顱

曲

1. **殿前歡**

杏花春，東風吹得草芬薰，天晴雨過花光潤，江曲澗濱，有何人來問津，願與鶴松同隱，樂道不憂貧，人臣不我，我不臣人。

2. **天淨沙**

殘霜冷月落花，鼙鼓號角飛砂，塞外北風班馬，戎衣披掛，何時重整邦家。

3. **喜春來** 春景

鶯兒燕子齊歌唱，水佩風裳綠繞塘，蘭妃桂姊喜洋洋，春氣爽，與燕共飛翔。

對聯

1. 以自己名字（尙苑）作書齋聯

尚書陳政事，苑藝有閒情。
古風尚淡泊。常樂苑清幽。

2. 贈侯翠蘭同學一聯

翠鳳御百鳥
蘭香挹眾芳

3. 贈陳春蘭同學一聯

春山多展媚，
蘭苑靜飄香。

4. 壽聯

載頌壽齡如日永，
同謳勳績比山高。

頌詞

1. 校慶頌詞

鐸韻幽揚，黌舍流芳。
英英多士，濟濟一堂。
群書博習，正氣昂揚。
良師興國，吾輩之光。

2. 贈別詩

請命平胡意志堅，
戎機迅赴亦欣然，
莫忘臨別叮嚀語，
望早功成奏凱旋。

附錄三：

裴尚苑生平大事自訂年表

民國十六年（一九二七）一歲：五月二十二日生於中國山西省，平陸縣常樂鎮。

民國二十三年（一九三四）八歲：入常樂小學，從師梁澤民，讀論語。

民國二十六年（一九三七）十一歲：日本侵華，故鄉淪陷，輟學。

民國二十七年（一九三八）十二歲：復學進入常樂模範小學。

民國三十二年（一九四三）十七歲：入西張師範。

民國三十三年（一九四四）十八歲：入山西省立運城師範。

民國三十四年（一九四五）十九歲：入山西省立運城中學。

民國三十五年（一九四六）二十歲：投筆從戎，加入青年軍二〇六師，於洛陽西宮集訓。

民國三十七年（一九四八）廿二歲：三月參加洛陽戰役，幸免於難。八月考入南京湯山砲校代訓軍訓班十六期。

民國三十八年（一九四九）廿三歲：四月砲校畢業成績第一名。五月來臺至八十軍砲兵營，任准尉機槍班長，七月改任計算員，八月隨營至舟山定海支援作戰。十一月參加登步島戰役，大獲全勝。

民國三十九年（一九五〇）廿四歲：改編歸屬陸軍六十七軍，任少尉觀測員。軍長劉廉一將軍。四月晉升中尉副連長。五月由舟山再度來臺。

民國　四十　年（一九五一）廿五歲：三月至鳳山砲兵大隊受訓，五月畢業，成績第一名。年終考績全營最優。十二月開始自修學英文。

民國四十一年（一九五二）廿六歲：投考陸軍官校，考取後未就讀。七月砲校初級班畢業，成績第一名，十月十日參加雙十國慶閱兵大典。

民國四十二年（一九五三）廿七歲：五月隨臺南工學院郭柏川教授習素描。

民國四十三年（一九五四）廿八歲：六月調升砲兵六〇四營勤務連上尉連長，七月砲校測量訓練班畢業，成績第三名，八月認識張梓陵小姐。

民國四十四年（一九五五）廿九歲：十月至鳳山陸軍官校受訓，調砲指部上尉連絡官。

民國四十五年（一九五六）三十歲：二月官校受訓畢業，成績第一名，畢業典禮由總統蔣中正親臨主持。雙十節再度參加閱兵大典。十二月參加升等考試，成績最優。

民國四十六年（一九五七）卅一歲：參加外語學校入學考，得備取第四，無緣遞補。十二月花蓮化學兵學校核子防護班畢業，成績第一名。

民國四十七年（一九五八）卅二歲：一月調任砲兵六〇七營作戰軍官，九月晉升少校。七月參加軍部三民主義講習，成績第一名，十月登陸金門島支援八二三砲戰。

民國四十八年（一九五九）卅三歲：六月返臺參加留美考試。

民國四十九年（一九六〇）卅四歲：四月考取留美觀測班，五月參加出國講習，七月認識顏淑玉小姐。

民國　五十　年（一九六一）卅五歲：一月得知留美班次取消。年初與顏淑玉小姐結婚。年底長女文玲出生。

民國五十一年（一九六二）卅六歲：一月率先遣人員至金門，三月至臺南砲校高級班五十一期受訓，十一月高級班畢業，成績第一名。

民國五十二年（一九六三）卅七歲：八月隨營自金門返臺，住中壢雙連坡。十二月調「部屬軍官」至第二軍軍部砲兵組服務。

民國五十三年（一九六四）卅八歲：二月二日長子文正出生。十月調至十七師砲指部砲兵廿八營服務。十二月調至中正理工學院行政科服務。

民國五十四年（一九六五）卅九歲：四月參加國防部隨營補習班，自高二讀起，十一月調政二科服務，承辦福利業務。

民國五十五年（一九六六）四十歲：二月十日次子文德出生。隨營補習學期成績優良，獎品——日記一本。

民國五十六年（一九六七）四十一歲：二月隨營補習高中畢業。四月辦理退役。丙等特考及格。七月參加大專聯考，考取淡江大學日間部文學院西洋語文系法文組。

因學費太貴放棄。八月參加夜間聯招，考取第一志願師大國文系。十月至師大註冊上課。

民國五十七年（一九六八）四十二歲：半工半讀，一年上學期成績第二名，得獎學金四百元。六月被選爲級長。一年下學期成績第三名，得獎金三百元。

民國五十九年（一九七〇）四十四歲：至學府補習班任導師。

民國 六十 年（一九七一）四十五歲：升任學府補習班總導師。

民國六十一年（一九七二）四十六歲：六月廿日師大畢業。七月設「常樂學苑」補習班。

民國六十二年（一九七三）四十七歲：七月廿日至滬江高中任教。專任教師兼教學副組長。

民國六十三年（一九七四）四十八歲：調輔導中心主任負責規劃創設工作。

民國六十四年（一九七五）四十九歲：八月調專任教師兼教學組長。

民國六十五年（一九七六） 五十 歲：七月至師大三民主義研究所研習。

民國六十七年（一九七八）五十二歲：八月調夜間部任教務組長。

民國六十八年（一九七九）五十三歲：師大三民主義研究所暑期研習結業。九月登記三民主義合格教師。

民國六十九年（一九八〇）五十四歲：八月調任日間部教務主任。

民國 七十 年（一九八一）五十五歲：十月隨團赴韓參加第三屆泛太平洋私校協會，順道赴日本觀光。

民國七十二年（一九八三）五十七歲：四月隨公立學校校長團赴日、韓參觀資訊教育。
民國七十三年（一九八四）五十八歲：一月訂購公館富山大廈六樓一戶。
民國七十四年（一九八五）五十九歲：二月遷入富山大廈新居。
民國七十五年（一九八六）六十　歲：滬江王申望校長退休，汪乾文先生接任，我仍任教務主任。
民國七十六年（一九八七）六十一歲：六月長女文玲與張正喜先生結婚。七月同淑玉隨團赴東南亞作五國（菲、馬、新、泰、港）十四日遊。八月長子文正考取國立臺北技術學院。
民國七十七年（一九八八）六十二歲：七月五日同淑玉返鄉探親。十月修訂家譜。
民國七十八年（一九八九）六十三歲：五月長子文正考取國立臺灣技術學院營建研究所。
民國七十九年（一九九〇）六十四歲：八月返鄉爲先父母立碑。九月次子文德進入中原大學就讀。
民國　八十　年（一九九一）六十五歲：八月接任滬江高中校長。六月長子文正技術學院研究所畢業。十月同淑玉隨團至加拿大參加第十三屆泛太平洋私校校長會，順道轉美國觀光。
民國八十一年（一九九二）六十六歲：十月隨私校校長團赴越南參觀。
民國八十二年（一九九三）六十七歲：一月隨北市校長團赴紐澳觀光（十四日）。十月長江三峽之旅，淑玉同行。

民國八十三年（一九九四）六十八歲：五月長子文正與黃翠娟小姐結婚。三月考取駕駛執照。十月偕淑玉隨團作華東黃山七日遊。

民國八十四年（一九九五）六十九歲：三月次子文德與林淑玲小姐結婚。九月偕淑玉隨團作八日絲路之旅。九月起利用朝會爲學生講「三字經」。十月陪董事長錢龍韜先生隨團赴澳紐參加第十七屆泛太平洋私校校長會議。

民國八十五年（一九九六） 七十 歲：四月申請辦理退休。五月參加易經講座。六月故鄉五間平房完成。七月至師大分部練太極拳。滬江校長職務交由徐立先生接任。八月參加耕莘文教院國畫、書法班。十月偕淑玉隨團作北韓、蒙古、返鄉之旅。

民國八十六年（一九九七）七十一歲：春節全家駕車作環島之旅。五月偕淑玉隨團赴歐洲作八國之旅（義、奧、瑞、德、荷、法、比、英八國）。八月易經河洛班結業、成績第一名，並獲精神獎。九月參加水彩畫班。十月偕淑玉隨團赴中國大陸東北遊。

民國八十七年（一九九八）七十二歲：四月清明節闔家返常樂故鄉掃墓。五月隨易經團赴大陸山東作朝聖之旅。六月偕淑玉隨團作東歐六國（荷、俄、波、捷、斯、匈）十五日遊。

附錄四：常樂裴氏家譜序及世系表

一、譜序

序一

裴氏之源始于云中，秦之善牧落于河東，唐之賢相吾祖諱郁係晉公諱度之後也，世居聞喜縣梨園鎮，自宋初避亂兵，移居平陸縣常樂里馮村，業農安身，清白傳家，子孫頗盛，至今數世余輩矣。

首人十一世孫　致仁　鳳儀　賦仁　懷孝　敬題

乾隆十年（西元一七四五年）十一月十五日訂

序二

族譜之設，原以誌宗派，明昭穆，而代遠年湮毀傷之慮庸或不免，歲次戊辰　祖宗屬余供獻而家譜微有損傷，　祖父叔伯等命余修理之，且謂余十三世祖諱潤甫者排行雖次。

始祖諱郁實非始祖子，汝必詳明言之，無使後人有誤，予聞其命因而謹誌之，考裴姓始于䣣鄉，原係伯益後所封之地，後徙封解邑，乃去邑從衣，此裴氏之所由來也，裴氏之以顯名著者，代不乏人，玉山照晉，石柱光唐，千古深人景仰，而其居住大抵不離乎河東者近是，今之聞喜縣即其地也，聞喜裴氏最盛，自宋初亂兵逼擾，有棄故土適他鄉者，此吾　始祖諱郁有常樂鎮之居也，　始祖未詳其所自出，而其故里出於聞喜縣則確然不誣，　始祖而下世系無有的考，而予一門世系的然無疑者，則自予十三世祖諱潤甫始，十三世祖去　始祖亦不知幾世，特以年代久遠，不敢妄憶，不得不從十三世　祖續起耳，十三世祖共五子，長門乏嗣，餘四門仝屬南門，亦各分支派，而予分門之　祖諱顯行二，自成一門，自有族譜，而世系釐然可考，予承　祖父叔伯之命因其舊譜，新加修理，缺遺者敬添之，未續者重續之，俾後世子孫，了然無疑，此則其　祖父叔伯之深意耳。

十三世孫鍾靈沐手敬書

家長懷孝仝侄　福貴　棟　楨　重修

嘉慶十三年（西元一八〇八年）正月十二日訂

序三

嘗思國有史紀，家有譜系，創始固難，重修亦不易，蓋鹵莽在一時，舛錯及後世，關係之重，誠如是矣，考予裴姓之始至嵩樂村，其來歷合族譜載之甚悉，即予本門譜亦傳之不誣，前既溯明，此固無容復贅，但本門長幼倫序，先後次第，自嘉慶十三年予父諱鍾靈與予堂叔諱鐘玉續後，至今五十餘載，使不及時重修，恐再相沿日久，則本支莫別，將有欲續而不得的確者，此本門　尊長輩常以此事託予也，特予十數年來設館在外，未有暇日以成厥功，茲值家食，偶于書齋發念及之，即取舊譜，參閱，忽見損傷已甚，殊覺罷修不能，於是于已續者，仍舊謄之，未續者謹添錄之，則世次釐然，昭穆不混，任人披覽，無不瞭如指掌，雖其間有一人奉祀兩門者，更有一人奉祀三門，四門者，豈曰正理，實因滅絕門多，承嗣子少，亦勢之不得已耳，至告竣之日，共書兩本，其一本隨供獻　祖考之人，輪流收藏，其一本存之予家，以備毀壞之考證，則予心之爲異日計者，不可謂不盡，倘後裔子孫，咸體此意，亦不時繼修，致令本門宗派，始終不紊焉，則幸甚，幸甚。

十四世孫以敏敬序十五世孫珩沐手書

鍾粹

錫齡

首人　家長　　　敬修

得心

存心

咸豐九年（西元一八五九年）十一月十五日訂

序四

夫萬物本乎天，人本乎祖，是知造物生生之恩，祖宗綿綿之德，固人物所得長養於無窮者也，則本源之關係大矣，蓋生民作而知姬周受命之由長發咏而知商家發祥之始下，此巨族大姓莫不以宗廟禮隆，昭穆典重，爲繼述之大者也，予裴氏自居常樂之緣由，分門別戶之顛末，予十一世祖、十三世祖及十四世祖序內已詳言之矣，無庸贅辭，但予十世祖諱以敏序修本門家譜後，至今五十餘年，子孫繁衍，紙幅無餘，若不另爲添續，則本支百世之遞衍，有無從的考者矣，時値丙辰歲予以世事多故，家居奉長輩命令續修之，竊以爲族譜關係甚大，一時舛錯，貽誤無窮，爰商諸堂弟振堂爲之考校繕謄，俾世次釐然，後之視今，亦猶今之視昔，庶不至後世披覽者或有所茫昧也，再者予裴氏世居河東聞喜，魏晉之際，代有偉人，至李唐而勳業文章、彪炳一時，尤爲天下所欽仰。祖宗遺澤，廢墜可憂，深望後世子孫勉續前人之光烈也，是爲幸。

附貢應光緒丁未考職第一選任廣西東安
司巡政廳加三級紀錄三次本縣第一科科長　耀堂敬序
十七世孫高等小學校第一班畢業增生振堂沐手書

好學
首人　家長昌裕　瑛　敬修
光祖
宗先
光遠

民國五年（西元一九一六年）十一月初十日訂

序五

木有本，水有源，人亦有自，探源尋根乃人之天性，且人不可忘本，一則以念祖，一則以報恩，然余弱冠之年即離鄉背井，時逢戰亂離家日遠，於民國卅八年（一九四九）輾轉來臺，時局遽變，致兩岸隔絕，音訊毫無，於是思鄉之情日隆，尋根之意益切，欲探本源遍尋無著，幸時局好轉，於民國七十七年開放探親，得有機會重逢濶別四十餘年之故鄉—山西省平陸縣常樂鎭，本擬拜謁宗祠祭祖，但卻慘遭拆除，只好於父母墳前祭拜，以表孝思。

此次返鄉得於八十四歲高齡堂兄尙賢處取得「本門家譜」如獲至寶，遂携返臺北予以影印（原本托人帶回奉還保管）反覆閱讀，方知先祖原於宋初避亂自聞喜縣梨園鎭遷至平陸縣常樂鎭。本門族譜自潤甫公敍起，至今已歷十八世矣，其間曾修訂四次，最近一次於民國五年修訂，至今已七十三年矣，亟需修訂，遂不揣簡陋，決心續修。

本門家譜十分簡略，僅序文，譜系及譜系總表余曾閱「雲陽裴氏族譜」微片得知，雲陽裴氏亦為東眷裴度晉國公之後，但細閱譜系並未發現本門 始祖郁公或 潤甫公在列，因之雲陽裴與常樂裴關係如何，尙不得而知，有待來日重返聞喜查閱總譜，方可探明究竟，「雲陽裴氏族譜」較爲完備，有譜序，源流紀略，外紀、遺像、宗祠圖誌，行序書，家訓、總系總表、傳、贊、跋等共十八卷，洋洋大觀，不克全錄，今僅錄源紀略，家訓（另印）等部份，以供後世子孫參閱修持。

今爲存眞起見，舊譜照樣謄錄，續修部分改採蘇式，長幼次序自右而左，且迎合時代潮流提倡男女平等，故子女並記，配偶姓名記於左側，嗣後宜適時續修，以求完善。

十八世孫尚苑敬序

中華民國七十八年（一九八九）八月十日訂

二、世系表

一世、始祖裴公諱郁——二世 顯——三世 鎮——四世 暹——五世 九思——六世 汝敬——七世 自鍾——八世 啓祐——

九世 紀——十世 志發——十一世 懷孝——十二世 時中——十三世 鍾靈——十四世 以訥（諾）——十五世 琪——十六世 宗先（群收）

十七世	十八世	十九世	二十世
（次）俊才（玉堂）			
（長）務才（金堂）			
（三）茂才（滿堂）	（長）尚吉		
	（次）尚實		外孫
	（三）尚苑	（長女）文玲	（長女）路得
		婿張正喜	（長子）路加
	（四）尚貞	（長子）文正	（長子）友瑞
		媳黃翠娟	
	（五）女水嬌	（次子）文德	
		媳林淑玲	

國家圖書館出版品預行編目資料

力爭上游：裴尚苑自傳 / 裴尚苑著. -- 初版.
-- 臺北市：文史哲, 民 88
面： 公分. --
ISBN 957-549-242-0(平裝)

1.裴尚苑 - 傳記

782.886 88014215

力爭上游：裴尚苑自傳

著　者：裴　尚　苑
出版者：文　史　哲　出　版　社
登記證字號：行政院新聞局版臺業字五三三七號
發行人：彭　正　雄
發行所：文　史　哲　出　版　社
印刷者：文　史　哲　出　版　社
臺北市羅斯福路一段七十二巷四號
郵政劃撥帳號：一六一八〇一七五
電話 886-2-23511028・傳眞 886-2-23965656
實價新臺幣三六〇元
中華民國八十八年十月初版

ISBN 957-549-242-0